知っておきたい暮らしのお金

24-25年版

図解 いちばん親切な 相続税の本

オールカラー

税理士法人藤井会計事務所
藤井和哉
小高直紀
監修

ナツメ社

2024年度 税制改正POINT!

昨年の税制改正において大きな目玉であった暦年課税制度と相続時精算課税制度の新しいルールが、2024年1月1日より開始されました。生前贈与に大きく関わり、節税にも影響を与えるものなので、両制度の改正ポイントをしっかりと把握しておきましょう。また、相続・贈与で受けた区分所有のマンションについて、評価額の計算方法に一部変更がありました。あわせて押さえておきましょう。

POINT 1 暦年課税制度と相続時精算課税制度の大改正!

2024年1月1日より、生前贈与を行う際に選択が必要となる**暦年課税制度**と**相続時精算課税制度**に関する新制度が施行されています。ここでは両制度の改正点を中心に、とくに大きなポイントについてまとめています。より詳細な情報については国税庁発表の資料を確認するか、税理士など専門家に相談してください。

暦年課税制度

(詳しくは→P.172)

対象 個人から受けた贈与

基礎控除 年間110万円までの贈与は非課税

税率 贈与額に応じて10～55%
(基礎控除額を超える贈与分に対して)

相続時 相続開始前7年以内に贈与を受けた金額は相続財産に加算する。 新設!
ただし、経過措置がある(→下図)。
かつ延長した4年間に受けた贈与額は合計100万円まで相続財産に加算しない。

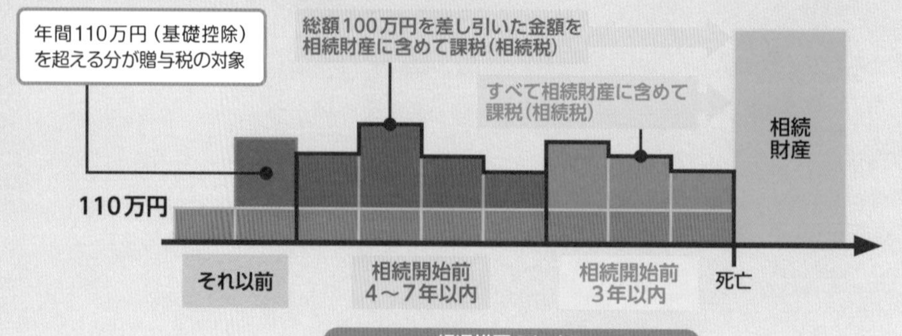

経過措置のしくみ

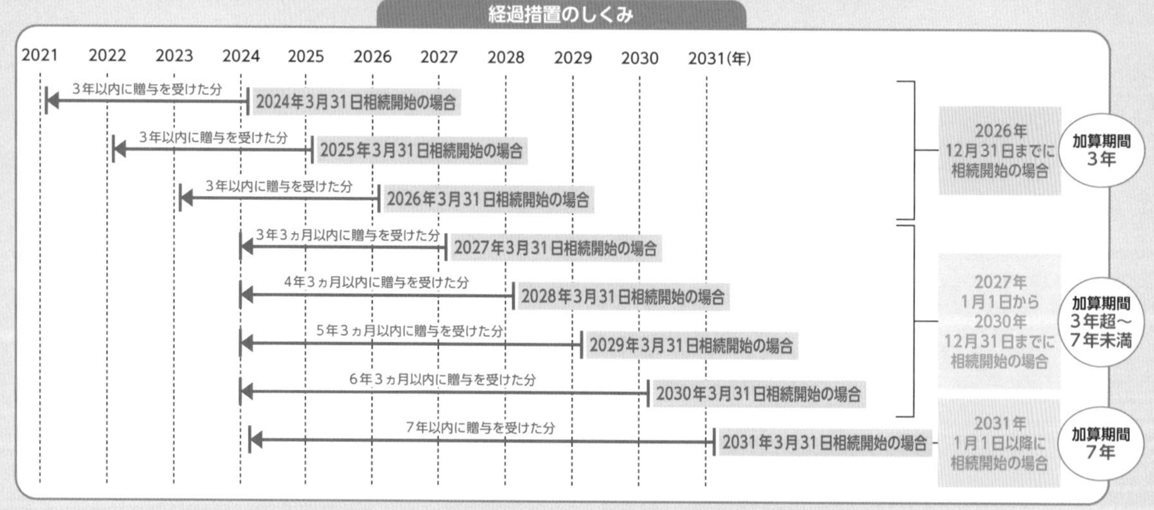

相続時精算課税制度

(詳しくは→P.176)

対象	60歳以上の父母・祖父母から、18歳以上の子・孫への贈与
基礎控除	年間110万円までの贈与は非課税　新設！
特別控除	累計2,500万円までの贈与は非課税
税率	一律20%（累計2,500万円を超える贈与分に対して）
相続時	基礎控除（年間110万円）分を除くすべての贈与分を相続財産に加算する。

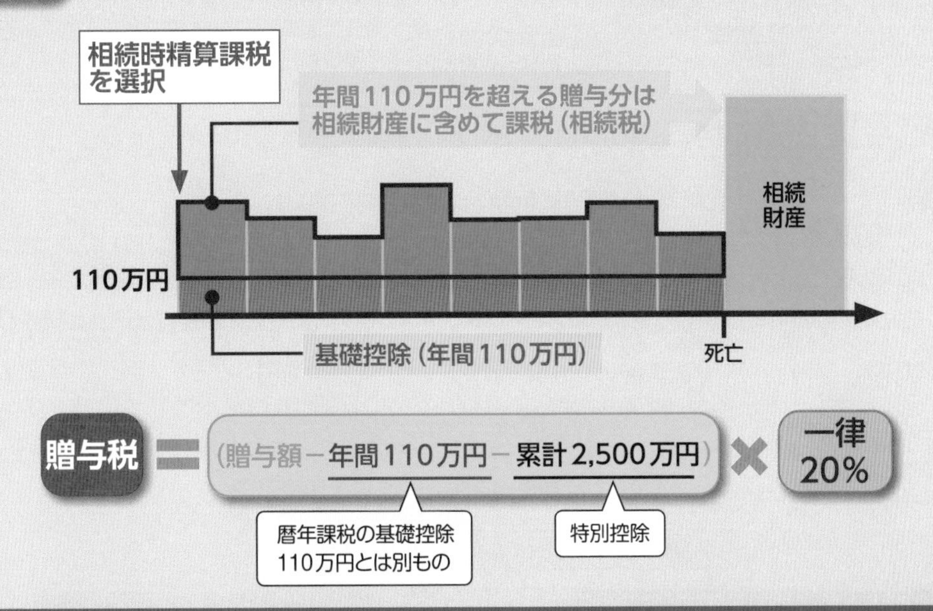

Q 暦年課税制度と相続時精算課税制度、どちらの制度のほうが節税になる？

これは代表的なケースです。ケースバイケースでの検討を！

事例❶ 高齢の父母から子への贈与

年110万円までなら贈与税も相続税もかからないので、相続時精算課税制度がおすすめな場合がある。

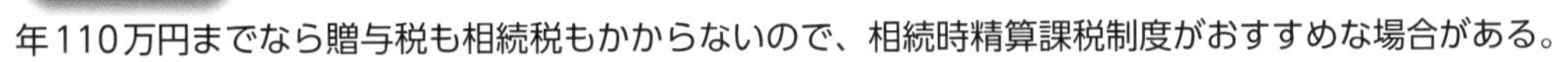

事例❷ 祖父母から孫や相続人の配偶者への贈与

相続人でない孫や相続人の配偶者への贈与では相続財産に加算されないので、暦年課税制度での資金移転がおすすめな場合がある。

事例❸ 長期にわたって贈与が可能な父母から子への贈与

相続時精算課税制度の年110万円の基礎控除の範囲内で、長い時間をかけての資金移転がおすすめな場合がある。

なお一度、相続時精算課税制度を選択すると、暦年課税制度に戻すことはできません。事前によく検討してから、選択しましょう

次のページに暦年課税制度と相続時精算課税制度の計算例を載せています。それぞれのしくみを理解するのに役立ててください

どっちがお得？

暦年課税制度と相続時精算課税制度の計算例

下記のケースで、暦年課税制度と相続時精算課税制度のどちらを使ったほうが節税できるか考えてみます。それぞれの制度のしくみを理解するのに役立ててください。

家族

母（現在70歳）

長男

次男

母の財産

普通預金 1億円

土地7,000万円
家屋3,000万円

- 母が今から15年後の85歳で亡くなると仮定。そのときには母の遺産を、相続人となる**長男と次男が法定相続分で相続**する予定。
- これから15年間、長男と次男にそれぞれ**毎年110万円ずつ贈与**する。
- 母には遺族年金が毎年200万円あり、その金額の範囲で生活費を賄う。

暦年課税制度を選択した場合

① 死亡時の財産　2億円－（基礎控除110万円×2人×15年間）＝1億6,700万円

② 15年間で負担した贈与税　基礎控除110万円以下のため、贈与税の負担0円

③ 相続税の計算

1. 相続税の課税価格の合計額　1億6,700万円＋（110万円×2人×7年間）－100万円＝1億8,140万円
   （相続開始前7年以内の贈与財産）（相続開始前4～7年以内の贈与にかかる控除）
2. 基礎控除　3,000万円＋（600万円×2人）＝4,200万円
   （法定相続人の数（→P.130））
3. 課税遺産総額（課税価格の合計額－基礎控除）　1億8,140万円－4,200万円＝1億3,940万円
4. 相続税の総額の計算　（課税遺産総額を相続人の人数で割る）

長男
1億3,940万円×1/2＝6,970万円
6,970万円×30%－700万円＝1,391万円
（相続税の税率と控除額（→P.132））

次男
1億3,940万円×1/2＝6,970万円
6,970万円×30%－700万円＝1,391万円

➡ **合計2,782万円**

相続時精算課税制度を選択した場合

① 死亡時の財産　2億円－（基礎控除110万円×2人×15年間）＝1億6,700万円

② 15年間で負担した贈与税　基礎控除の110万円以下のため、贈与税の負担0円

③ 相続税の計算

1. 相続税の課税価格の合計額　1億6,700万円　※贈与時の基礎控除の110万円は相続税の課税価格に加える必要なし。
2. 基礎控除　3,000万円＋（600万円×2人）＝4,200万円
3. 課税遺産総額（課税価格の合計額－基礎控除）　1億6,700万円－4,200万円＝1億2,500万円
4. 相続税の総額の計算

長男
1億2,500万円×1/2＝6,250万円
6,250万円×30%－700万円＝1,175万円

次男
1億2,500万円×1/2＝6,250万円
6,250万円×30%－700万円＝1,175万円

➡ **合計2,350万円**

このケースでは相続時精算課税制度を利用したほうが暦年課税制度の利用に比べて、432万円節税できる

POINT 2

分譲マンション（居住用の区分所有財産）の評価方法が改正！

2024（令和6）年1月1日以降に**相続や贈与により取得した分譲マンションの財産価額については、新たな計算方法で評価することになりました。**分譲マンションの販売価格は高層階のほうが高いなど、部屋の条件等によって差があるのが普通です。しかし、相続・贈与時の評価額においては、すべての部屋が一律同じ金額となる計算方法で評価されていました。**そうした市場での販売価格と相続・贈与時の評価額の乖離を是正することを目的としています。**

これまで

建物　Ⓐ固定資産評価額×1.0

＋

土地　Ⓑ敷地権の評価額

マンションの敷地全体の評価額×敷地権の割合（共有持分の割合）

▼

2024（令和6）年以降

建物
Ⓐ固定資産評価額×1.0×Ⓒ区分所有補正率

＋

土地
Ⓑ敷地権の評価額×Ⓒ区分所有補正率

Ⓐ 固定資産評価額の求め方

「固定資産税の課税明細書」に記載されている（毎年1月1日時点でのその固定資産の所有者に対し、市町村から送られてくる）。

Ⓑ 敷地権の評価額の求め方

●マンションの敷地全体の評価額

路線価 × マンションの敷地全体の面積（m²）

※路線価がない場合は、倍率方式で計算する。

×

●敷地権の割合（共有持分の割合）

マンションの売買契約書や登記事項証明書に「敷地権の割合」として、「○分の○」と記載されている。

Ⓒ 区分所有補正率の求め方

計算方法は複雑なので、国税庁の「居住用の区分所有財産の評価に係る区分所有補正率の計算明細書」（→右下）を使うとよい（国税庁ホームページからダウンロード可）。

「居住用の区分所有財産の評価に係る区分所有補正率の計算明細書」（計算表部分のみ抜粋）

区分所有補正率の計算	A	① 築年数（注1） 15 年			①×△0.033 △ 0.495
	B	② 総階数（注2） 11 階	③ 総階数指数（②÷33） （小数点以下第4位切捨て、1を超える場合は1）		③×0.239 （小数点以下第4位切捨て） 0.079
	C	④ 所在階（注3） 3 階			④×0.018 0.054
	D	⑤ 専有部分の面積 59.69 ㎡	⑥ 敷地の面積 3,630.30 ㎡	⑦ 敷地権の割合（共有持分の割合） 6,319 / 1,150,000	
		⑧ 敷地利用権の面積（⑥×⑦） （小数点以下第3位切上げ） ㎡	⑨ 敷地持分狭小度（⑧÷⑤） （小数点以下第4位切上げ）		⑨×△1.195 （小数点以下第4位切上げ） △ 0.401
		⑩ 評価乖離率（A＋B＋C＋D＋3.220）			2.457
		⑪ 評価水準（1÷⑩）			0.4070004070
		⑫ 区分所有補正率（注4・5）			1.4742
備考					

入力の必要項目は「①築年数」「②総階数」「④所在階」「⑤専有部分の面積」「⑥敷地の面積」「⑦敷地権の割合（共有持分の割合）」。

「⑪評価水準の数値」により、区分所有補正率の適用が3パターンに分かれる。

評価水準が1を超える場合
区分所有補正率＝評価乖離率

評価水準が0.6以上1以下の場合
補正なし（各評価額のまま）

評価水準が0.6未満の場合
区分所有補正率 ＝ 評価乖離率×0.6

この計算例の場合、評価水準が0.6未満のため、**「区分所有補正率＝評価乖離率×0.6」**が適用される。
区分所有補正率＝評価乖離率2.457×0.6＝1.4742
つまり　**固定資産税評価額（建物）＋敷地権（土地）の評価額の約1.5倍（1.4742）**が区分所有マンションの評価額となる！

東京
RRR
RRRR

母さん…?
どうしたんだろう
母さん

長男 智宏（42歳）
サラリーマン
バツイチ（娘1人）
父母と同居

もしもし
ー

○○病院
ばん!
父さん!
智宏…
母 裕子（70歳）
夫・長男と同居
年金暮らし

お気の毒ですがもう…
今晩いっぱい持つかどうかでしょう

はーい

兄さん？どうかしたの？
え!?父さんが…？
長女 やよい（40歳）
主婦（子ども2人）
家族4人暮らし
大阪
□□弁護士事務所
え!?

父さんが危篤!?
わかったすぐ帰る

ご愁傷様です…

お父さん!!
わぁぁ
御霊燈

慌ただしかったな…
まだ全然実感わかないわ…

そうだな…

じゃあ私はそろそろ…
お先に
次は四十九日で
ねえみんな…

こんなとき
だけど…
近々
相続のことも
話し合わないと…
次男 和彦（36歳）
弁護士 独身
大阪在住

ん？
相続??

ウチに
争うほど
たくさん財産
なんて
ないでしょ
やだわー
何言って
るんだよ

ウチみたいに
都心に土地、
建物を持っていて
何千万円かの
貯金があったら
相続税が発生
する可能性が
あるんだよ
ええ!?
ウソ!?

どうしよう!?
大事なことなんだから
日を改めてきちんと
相談しよう

はじめに

相続は、必ず発生します。

この本を手にとってくださった人の中には、会社員や経営者の人、賃貸業の人など、さまざまな仕事をされている人たちがいらっしゃることでしょう。また、家族関係者や兄弟が多い人もいれば、それほどでもない人もいると思います。家族仲や兄弟仲がよい人もいれば、悪い人もいるでしょうし、家族兄弟が遠方に住んでいる人もいれば、家族関係が複雑な人もいるかもしれません。

相続のかたちは、それぞれの家庭で千差万別です。それぞれの家庭によって生じる問題も異なります。簡単には解決できないくらい、大きな問題を抱えた相続もあります。

ただし、どのような家庭であっても、相続は必ず発生します。家庭の状況や抱えている問題の大小などに関係なく、相続は発生するのです。

親が亡くなりました。兄弟が亡くなりした。夫が亡くなりました。大事な方が亡くなったのですから、気が動転してしまっても仕方がありせん。そうした中で、少しでもあわてずに相続を乗り切るためには、あらかじめ相続に関する知識をつけることが大事です。

この本は、下記のような不安や疑問を感じている人たちに向けて、今後の備えとして、正しい知識を身につけてほしいという思いからつくられました。

「そもそも相続って何だろう？」

「相続税って、いくらくらいかかるんだろうか？　少しでも節税する方法はないんだろうか？」

「そんなに資産はないけど、何か相続で問題になることがあるのだろうか？」

「親の経営している会社の相続はどうするのだろうか？」

「そろそろ遺言を書きたいけれど、どうしたらいいのだろうか？」

「子どもたちに相続や相続税で迷惑をかけたくないけれど、今から何ができるんだろうか？　終活をしたほうがいいのだろうか？」

相続に関する知識の不十分さから、新たな問題が生じたり、損をしたりするケースがあります。たとえば、相続人でない人が遺産分割協議に参加していたとか、親の債務（借金）は相続放棄を選択すれば背負わずにすむという選択肢を知らなかったなどといったケースがあり得ます。また、税金の優遇制度には、期限や細かい適用要件があります。そうした優遇制度を知って活用できるかどうかで、納税額は大きく変わります。

そこで、この本では次の５つの章に分けて、相続の基礎知識から税額の計算方法、さらには節税方法まで解説します。

第１章　相続できる人のルールを知る

第２章　相続できる財産のルールを知る

第３章　財産を分けるルールを知る

第４章　相続税の金額を計算する

第５章　節税で税額を低く抑える

本書を活用し、必要な知識を身につけることで、読者のみなさまの円満でかしこい相続の手助けになれば幸いです。

税理士　藤井和哉

登場人物紹介
園田家の人々

園田太郎（父／故人）

享年72歳。定年後も再雇用で70歳まで働き続けた仕事人間。落ち着いて余生を過ごそうとした矢先、病に倒れる。

園田裕子（母）

70歳・主婦。東京都在住。お嬢様育ちで、おっとりとした性格。子どもたちが力を合わせてくれることを願っている。

青葉智子

41歳・会社員。智宏の前妻。神奈川県在住。

園田智宏（長男）

42歳・会社員。前妻とは離婚し、両親と同居。優しい性格だが、ちょっと頼りないところがある。

玉川やよい（長女）

40歳・主婦兼パートタイマー。神奈川県在住。家族のムードメーカー的存在だが、実は周囲に気を遣うタイプ。

園田和彦（次男）

36歳・弁護士。大阪在住、独身。頭脳明晰で、クールなタイプ。現在は弁護士事務所に勤め、バリバリと活躍中。

青葉真梨

16歳・高校生。智宏と前妻との子。

玉川正幸

46歳・会社員。やよいの夫。

用賀友里

37歳・税理士。大阪在住、独身。和彦のビジネスパートナーであり、大学の先輩でもある。鋭い頭脳と包容力を兼ね備えている。

玉川愛美

15歳・中学生。玉川家の長女。

玉川直

10歳・小学生。玉川家の長男。

園田家の資産

《父の遺産》

①自宅（400万円）、土地（8,000万円）
②預金・株（合計3,700万円）
③生命保険（3,000万円）
※住宅ローンは完済、ほかの債務はなし。

困った！

相続トラブルQ&A こんなときどうすればいいの!?

Q1 「全財産を長男に」という遺言書。次男の自分はもらえないの？

父（享年76歳）を亡くした長男Aさん（48歳）と次男Bさん（45歳）が遺品整理をしていると、Bさんが**「全財産を長男Aに相続させる」**という内容が書かれた父の遺言書（ゆいごんしょ）を見つけました。母はすでに亡く、相続人（そうぞくにん）はAさんとBさんの2人だけです。

Bさんにとって不公平なものであっても、**遺言の内容には絶対に従わなくてはいけないのでしょうか。**

A1 最低限の相続分は請求できます

遺言書に書かれているからといって、すべてそのとおりにしなければならないということはありません。

兄弟姉妹以外の**相続人には、最低限の相続分を主張する権利があります。**「財産はすべて長男Aに」という遺言があった場合でも、BさんはAさんに対して、この場合は遺産の4分の1を請求することができます。

➡P.50

Q2 遺産のほとんどが自宅不動産。どうやって分けるの？

長男Aさん（52歳）の母親（享年80歳）が亡くなりました。父はすでに亡くなっており、Aさん以外の子は、離婚して娘を連れて実家に戻っている長女（48歳）、独り暮らしの次女（44歳）の2人がいます。

遺産は、自宅不動産（5000万円）と預金（1000万円）ですが、長女は娘と実家にそのまま住み続けたいと言っています。いったいどうすれば公平に遺産を分けられるのでしょうか。

A2 3つの方法が考えられます

まず、**長女が自宅を相続する代わりに、長女からAさんと次女へ現金を支払う方法**があります。次に、**Aさんと次女が長女の生活を思いやり、長女が自宅を、Aさんと次女が預金を半分ずつ相続する方法**もあります。

民法の法定相続分（ほうていそうぞくぶん）はあくまでも目安にすぎません。相続人全員が納得すれば、どのような分け方をしてもよいのです。なお、どうしても均等に分けたいなら、不動産を売って現金で分けることになります。

➡P.108

Q3 夫の死後も、住み慣れた自宅に住み続けたいんだけど……？

夫（享年85歳）を亡くしたAさん（80歳）。Aさんと夫の間には子どもがいませんが、**夫には前妻との子Bさんがいます。**夫の財産は、自宅3000万円と預金1000万円の合計4000万円です。遺言はありません。**Aさんは、住み慣れた自宅にこのまま住み続けたいと思っています。**しかし、前妻の子Bさんと遺産を分けるには、自宅を売却するしかないのでしょうか？

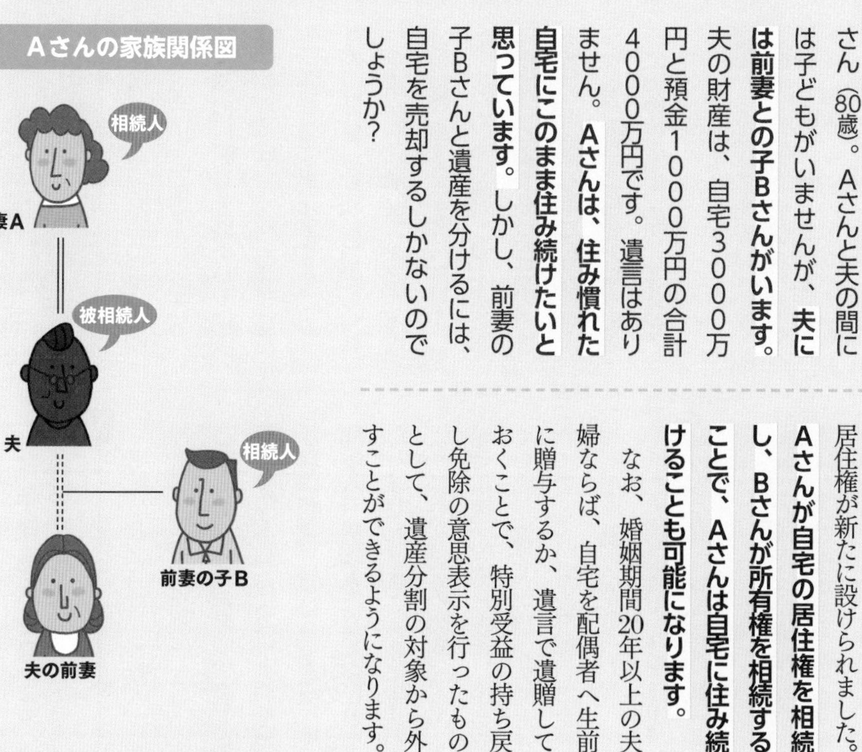

A3 配偶者が居住権のみを相続することも可能に！

民法の改正により、配偶者の居住権が新たに設けられました。**Aさんが自宅の居住権を相続し、Bさんが所有権を相続することで、Aさんは自宅に住み続けることも可能になります。**

なお、婚姻期間20年以上の夫婦ならば、自宅を配偶者へ生前に贈与するか、遺言で遺贈しておくことで、特別受益の持ち戻し免除の意思表示を行ったものとして、遺産分割の対象から外すことができるようになります。

Q4 相続税0円ならば申告をしなくてもいい？

5年前に父を亡くしたあと、母が病気になり、長女Aさん（55歳）は実家に戻り、母が亡くなるまで介護を続け、最期を看取りました。Aさんは母の死後、すっかり気が抜けてしまい、気がつくと半年が過ぎていました。あわてて弟（50歳）に連絡をとると、**「姉さんは母さんと同居していたので特例が使えて、たぶん相続税はかからないから、申告の必要もないのでは？」**と言うのです。本当に何もしなくていいのでしょうか。

Aさんの母の遺産総額

自宅土地：4,000万円
小規模宅地の特例：△3,200万円
建物：200万円
預金：1,000万円
合計 2,000万円

↓

基礎控除額＝4,200万円を下回るので相続税は0円。しかし、相続税の申告は必要！

A4 特例の適用を受けるなら申告が必要です

相続財産の総額が基礎控除額（3000万円＋600万円×法定相続人の数）以下ならば相続税はかからず、申告も不要です。

Aさんは特例が使えるため、相続税はかかりません。しかし、**「小規模宅地等の評価減の特例」の適用を受けるためには、たとえ相続税が0円でも相続税の申告はしなければなりません。**

➡P.156

Q5 認知症の母がいる場合、父の遺産の分割はどうすればいいの？

長男Aさん（60歳）の母（85歳）は数年前に認知症と診断され、判断能力が著しく低下しています。Aさんは、次男（58歳）と三男（50歳）の3人兄弟です。

先日、父（享年88歳）が亡くなり、遺産分割の話し合い（遺産分割協議）をすることになりました。しかし、相続人の1人である母は、とても話し合いのできる状態ではありません。このような場合、**母の相続分はどのように決めればよいのでしょうか。**

A5 成年後見人を立てる必要があります

遺産分割協議は、相続人全員の合意がなければ成立しません。このとき、**未成年者や、認知症や精神障害などにより判断能力がない相続人がいる場合には、代理人や後見人を立てなければなりません。** Aさんのケースのように母が重度の認知症である場合には、家庭裁判所に申し立てて成年後見人を選任してもらいます。父が遺言を書いておけば、遺産分割協議は不要です。

➡P.104

成年後見人

認知症や精神障害などにより判断能力がない相続人の後見人となる。

- ☑本人の判断能力があるうちに自分の意思で選ぶ任意後見人と、家庭裁判所に選んでもらう法定後見人がある
- ☑対象者1人につき1人の成年後見人が必要

特別代理人

未成年の相続人の代理人となる。

- ☑家庭裁判所に申し立て、選んでもらう
- ☑対象者1人につき1人の特別代理人が必要

Q6 親の介護をしてきた分、遺産はより多くもらえるの？

Aさん（42歳）は5年前から、病気で体が不自由になった母（享年76歳）を介護してきました。その母が亡くなり、遺産相続の話になりました。

父親は10年前に他界しており、ほかの相続人には兄（50歳）と姉（48歳）がいます。2人とも結婚し、遠方に住んでいたため、母の介護はAさんに任せきり。Aさんとしては、ずっと1人で母を介護してきたので、遺産の取り分を多めにしてほしいのですが、**介護で頑張った分を主張すれば、認められますか。**

A6 まずは兄弟でしっかり話し合いましょう

亡くなった人の財産の維持や増加に特別な貢献をしたことが認められる相続人には、その貢献を考慮した分割割合にできる制度があります。これを**寄与分**（きよぶん）といいます。

しかし、Aさんのケースのように、**「親の介護をしてきた」というだけでは、寄与分として認められることはむずかしい**でしょう。いきなり法的手段に訴えるのではなく、まずは**兄弟でよく話し合うことをおすすめ**します。

➡P.106

寄与分が認められるおもなケース

- ☑被相続人の事業に対して、無償の労働力を提供してきた
- ☑被相続人の療養介護を行って、付添人を雇う費用を免れた

これらによって、亡くなった人の財産の維持や増加に特別な貢献をしたことが認められれば、寄与分が認められることもある

Q7 亡き父から自分だけ贈与を受けていたら相続分から差し引かれるのですか?

Aさん（46歳）には、14歳になる子がいます。Aさんの父親（享年72歳）は生前、長女であるAさんの子（孫）をとくにかわいがっていて、**教育資金として500万円を一括贈与**してくれました。なお、Aさんには妹（38歳）がいて彼女にも子が1人（5歳）います。Aさんの子（孫）にだけ贈与を行っていたことが発覚し、妹から不公平だと言われてしまいました。この場合、**遺産分割はどうなりますか。**

A7 不公平感をなくす話し合いをしましょう

今回のケースでは、父がほかの兄弟に内緒にしていたことで、相続人の間に不公平感を生じさせてしまいました。すべての子や孫に平等にする必要はありませんが、**「ほかの兄弟には内緒で」というのは、「喧嘩しろ」と言っているようなもの。**この場合は、Aさんに500万円の生前贈与があったものとして、ほかの兄弟と分割割合を決めていくこともできるでしょう。

→P.182

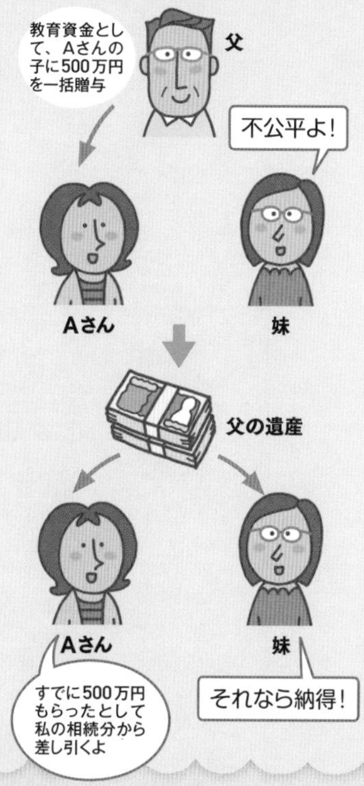

Q8 孫名義の預金でも相続税がかかるの?

Aさん（40歳）の父親（享年70歳）が亡くなり、財産整理をしていたら、**孫名義の通帳**が出てきました。退職金の一部をAさんの2人の子たちのために残しておいてくれたのです。

通帳の履歴を見ると、退職した年から、毎年50万円ずつ入金してくれています。ところが、税理士に「残念ながら、そのやり方では贈与にならない」と言われました。孫名義の預金なのに、なぜ孫への贈与と認められないのでしょうか。

A8 「あげたつもり」では贈与と認められません

贈与は、「あげます」「もらいます」と互いの意思を確認して初めて成立します。**「あげたつもり」では贈与にならない**のです。Aさんの父が積み立てていた孫名義の口座の存在を孫が知らないのでは贈与とは認められず、**名義預金**とみなされます。

贈与と認められるためには

①贈与のたびに贈与契約書を作成する

②通帳・印鑑は贈与を受けた人が管理する

などの証拠を残す必要があります。

→P.174

そもそも相続って何？

相続は亡くなってから行うこと 贈与は生前に行うこと

相続と贈与は何が違う？

相続も、贈与も、財産を引き継ぐという意味においては同じです。

相続は、財産を持つ人が亡くなってから開始されるもので、遺言がないかぎり、その財産を**受け取れる人や割合には民法上の決まりがあります。**

一方、**贈与はその人が生きているうちに、財産をあげたい人に対し、あげたいだけの財産を自由に残していく**ことができます。

それぞれ相続税と贈与税という、異なる税金が課せられます。

贈与

Aさんが**生きているうちに**Aさんの財産をあげる

対象

配偶者、子、孫、父母、兄弟姉妹のほか、友人など、**あげる相手はAさんが自由に選べる**

金額・割合

誰にいくらあげるのかも、Aさんが自由に決めてよい

受け取った財産額に応じて、**贈与税**がかかる

相続

Aさんの**死亡によって**Aさんの財産を引き継ぐ

対象

- 基本的には、Aさんの妻もしくは夫、子、孫、父母、兄弟姉妹など一定の血族のみ
- 遺言に明記することで、相続人以外に遺産を渡すこともできる

金額・割合

- 基本的に相続人全員による話し合いで、誰がどのくらい相続するかを決める
- 法律で決められた相続分や遺言の内容に従って、各者の相続分を決めてもOK

相続できるもの できないもの

人は誰しも、いつかは亡くなるときがくるので、相続はどんな人にも必ず発生します。よく「うちにはたいした財産はないから関係ない」という人がいますが、相続は財産の多少にかかわりません。**たとえば、「財産は築40年の小さな自宅と預金が少しだけ」という場合であっても、相続の手続きは必要になります。**また、相続人が2人以上いれば、誰がどの財産を相続するか話し合って決めなくてはなりません。

さらに、**住宅ローンなどの借金や未払いの税金など、マイナスの財産**が残されているケースもあります。

ですから、財産の多少にかかわらず、相続に対する事前の心構えと準備が大切になります。

相続財産となるもの

プラスの財産（資産）

- 土地、建物などの不動産
- 自動車、美術品、書画骨董品などの動産
- 現金、預貯金
- 有価証券
- 著作権、商標権などの知的財産権

など

マイナスの財産（負債・債務）

- 住宅ローンなどの借入金、未払金
- 連帯債務、保証債務
- 損害賠償の債務
- 未払いの税金

など

相続財産とならないもの

被相続人の一身に専属した権利義務

- 使用貸借契約における借主の地位
- 代理人の地位
- 親権者の地位
- 公営住宅の使用権
- 運転免許、国家資格

など

相続税の申告・納付が必要か自己判定してみよう

相続税かかる? かからない?

4STEPでわかる! 簡易判定シート

相続税がかかるにもかかわらず、相続発生時から10ヵ月以内の申告を怠ると、無申告加算税や延滞税が課せられるだけでなく、節税につながる特例を受けることもできなくなってしまいます。

ここでは、大まかな財産総額から相続税がかかるのかどうかを調べてみましょう。

STEP 1 法定相続人の数を確認する

1 被相続人(亡くなった人)の配偶者はいますか?

→ はい [1]人 / いいえ [0]人

2-1 子どもはいますか?

→ はい [　]人

↓「いいえ」の場合のみ、次の質問へ

2-2 父母はいますか?

→ はい [　]人

↓「いいえ」の場合のみ、次の質問へ

2-3 兄弟姉妹はいますか?

→ はい [　]人 / いいえ [0]人

※2-1～3の各相続人が、被相続人の死亡前にすでに亡くなっている場合や養子がいる場合については、本文(→P.36、P.39)で確認してください。

上記の人数を合計する

法定相続人の数＝[　　　　]人

STEP ② 相続税の基礎控除額を求める

●相続財産の総額が基礎控除額を超える場合、その超えた分に対して相続税がかかる

基礎控除額 ＝3,000万円＋（600万円×法定相続人の数［　　］人）
＝［　　］円 ……Ⓐ

STEP ③ 相続財産および債務等の確認をする

●それぞれの相続財産の金額を算出して合計する

❶ 金銭に見積もることができる財産

土地 ……［　　］円
建物 ……［　　］円
預貯金・有価証券（株式、社債など） ……［　　］円
そのほか（自動車、書画骨董品など） ……［　　］円
小計［　　］円 ……❶

大まかな金額で構わないので、リストを埋めてみよう。

❷ 死亡に伴い支払われる生命保険金や退職金 ……［　　］円 ……❷
※一定の金額までは非課税（→ P.160）

❸ 被相続人から生前に贈与を受けた財産 ……［　　］円 ……❸
※相続開始前３年以内に取得した暦年課税適用財産・相続時精算課税適用財産（→ P.172、P.176）

❹ 借金などの債務、葬式費用 ……［　　］円 ……❹

相続財産の合計額 ＝❶＋❷＋❸－❹＝［　　］円 ……Ⓑ

STEP ④ 申告が必要かどうかを判定する

●STEP③からSTEP②を差し引いた金額（課税遺産総額）に対して、課せられる

課税遺産総額 ＝Ⓑ相続財産の合計額－Ⓐ基礎控除額
＝Ⓒ［　　］円

Ⓒの金額がマイナス、もしくはゼロになれば、相続税はかからない！

※「小規模宅地等の評価減の特例」「配偶者の税額軽減」などの適用を受けるためには、たとえ相続税が0円になっても、相続税の申告は必要になる。

相続税の節税対策 3つのキホン

相続税は、相続または遺贈により財産を取得した個人にかかる税金です。財産が多いほど税率が高くなり、当然のことながら税額も大きくなります。節税の3つの考え方について説明します。

節税対策 1 相続財産そのものを減らす！

贈与の各種非課税制度を活用し、生きているうちに子や孫に贈与して、相続の際に引き継ぐ財産を減らしておきましょう。

子や孫にマイホーム購入の予定があるなら…

●住宅取得等資金の贈与

対象 マイホームの購入・建築資金として、父母や祖父母から贈与を受けた18歳以上の子や孫

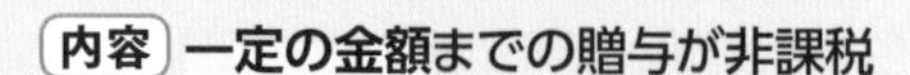

内容 一定の金額までの贈与が非課税

孫の教育や結婚を応援したいなら…

●教育資金の一括贈与

対象 教育資金として、父母や祖父母から一括で贈与を受けた30歳未満の子や孫

内容 子や孫1人につき、最大1,500万円（うち学校以外では500万円）までの贈与が非課税

●結婚・子育て資金の一括贈与

対象 結婚・子育て資金として、父母や祖父母から一括で贈与を受けた18歳以上50歳未満の子や孫

内容 子や孫1人につき、最大1,000万円（うち結婚資金は300万円）までの贈与が非課税

節税対策 ❷ 相続財産の評価額を下げる！

相続財産のうち不動産に着目。宅地の評価額を大幅に減らせる「小規模宅地等の評価減の特例」を使えるようにしておきましょう。

子や孫と同居しているのなら…

●小規模宅地等の評価減の特例

対象 被相続人（亡くなった人）が**居住や事業、貸付に使っていた宅地**を相続した場合

内容 **居住用の場合→**
宅地の評価額を80%減額（330㎡まで）
事業用の場合→
宅地の評価額を80%減額（400㎡まで）
貸付用の場合→
宅地の評価額を50%減額（200㎡まで）

節税対策 ❸ 非課税・税額控除を活用する！

相続税にはさまざまな非課税枠や税額控除があります。それらをうまく活用して税額を減らしていきましょう。

相続人が生命保険の受取人となっていたら…

●生命保険金の非課税枠

対象 被相続人にかかっていた**生命保険金**を受け取った相続人

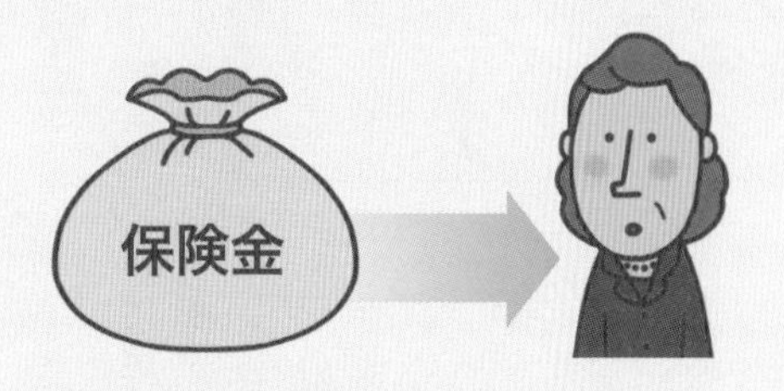

内容 **「500万円×法定相続人の数」**の金額までが非課税
※死亡退職金にも、同様の非課税枠あり。

配偶者が相続したときは…

●配偶者の税額軽減

対象 被相続人の配偶者

内容 **法定相続分または1億6,000万円の**いずれか大きい金額までが非課税

ひと目でわかる！相続スケジュール

相続はその人の死亡によってはじまる

被相続人の死亡

＝

相続の開始

相続人の確定

遺言書の有無を確認する

7日以内

死亡届の提出

被相続人が亡くなった日（死亡を知った日）から7日以内に死亡届を提出する。

通夜・葬儀／初七日法要

ポイント

被相続人が亡くなった日および相続開始を知った日

法定相続人になる人は民法で決まっている

・被相続人の戸籍をさかのぼってすべて取得する。

→P.38

遺言書（ゆいごんしょ）があるかどうかを調べる

→P.46～49

3ヵ月以内

生命保険金、退職金などの各種手続き

四十九日法要／納骨・埋葬

相続財産の調査

相続方法を決定

単純承認（たんじゅんしょうにん）

or

限定承認（げんていしょうにん）

相続放棄（そうぞくほうき）

被相続人のプラスの財産とマイナスの財産をすべて洗い出す

☑**プラスの財産**
土地・建物、現金・預貯金、自動車、美術品、書画骨董品、有価証券（株式等）など

☑**マイナスの財産**
借入金、未払金、連帯債務、保証債務、損害賠償の債務、未払いの税金など

→P.64

相続するかどうかを決める。選択肢は次の3つ

①**単純承認**
プラスの財産もマイナスの財産も、すべて相続する。

②**相続放棄**
プラスの財産もマイナスの財産も、すべて相続しない。

③**限定承認**
プラスの財産の範囲内で、マイナスの財産を相続する。

↓

3ヵ月以内に家庭裁判所に申し立てを行う。何も申し立てを行わない場合、自動的に単純承認となる。

→P.66

10ヵ月以内

4ヵ月以内

被相続人の準確定申告

1月1日から死亡した日までの所得を把握し、所得税を計算する。被相続人の住所地の所轄税務署に4ヵ月以内に申告・納税をする。

相続完了

遺産分割の話し合い

STEP1

被相続人の遺産をもれなく洗い出し、評価を行う

→P.78〜93

STEP2

相続人全員で遺産分割協議を行う

・法定相続分が分割の目安になる。

→P.102〜111

STEP3

遺産分割協議書をつくる

→P.116

相続した財産の名義変更

相続した不動産の相続登記、有価証券などの名義変更を行う

→P.118

相続税の計算と申告・納付

・相続財産の評価額に基づいて、相続税を計算する
・相続税の申告・納付が必要な人は、被相続人の住所地を所轄する税務署に申告書を提出し、納税する

→P.128〜137

相続税の早見表

相続税は、遺産の総額と法定相続人の数で決まります。
早見表でおおまかな税額を確認しましょう。

①配偶者がいる場合

（単位：千円）

遺産総額(※)	配偶者 子ども1人	配偶者 子ども2人	配偶者 子ども3人	配偶者 子ども4人
1億円	3,850	3,150	2,625	2,250
1.5億円	9,200	7,475	6,650	5,875
2億円	16,700	13,500	12,175	11,250
2.5億円	24,600	19,850	18,000	16,875
3億円	34,600	28,600	25,400	23,500
3.5億円	44,600	37,350	32,900	31,000
4億円	54,600	46,100	41,550	38,500
4.5億円	64,800	54,925	50,300	46,000
5億円	76,050	65,550	59,625	55,000
6億円	98,550	86,800	78,375	73,750
7億円	122,500	108,700	98,850	93,000
8億円	147,500	131,200	121,350	113,000
9億円	172,500	154,350	143,850	134,000
10億円	197,500	178,100	166,350	156,500

②配偶者がいない場合

（単位：千円）

遺産総額(※)	子ども1人	子ども2人	子ども3人	子ども4人
1億円	12,200	7,700	6,300	4,900
1.5億円	28,600	18,400	14,400	12,400
2億円	48,600	33,400	24,600	21,200
2.5億円	69,300	49,200	39,600	31,200
3億円	91,800	69,200	54,600	45,800
3.5億円	115,000	89,200	69,800	60,800
4億円	140,000	109,200	89,800	75,800
4.5億円	165,000	129,600	109,800	90,800
5億円	190,000	152,100	129,800	110,400
6億円	240,000	197,100	169,800	150,400
7億円	293,200	245,000	212,400	190,400
8億円	348,200	295,000	257,400	230,400
9億円	403,200	345,000	302,400	272,700
10億円	458,200	395,000	350,000	317,700

※遺産総額は、基礎控除前の課税価格です。
注1：税額は、法定相続人が法定相続分により相続したものとして計算した相続税の総額です
注2：税額控除は、配偶者の税額軽減のみとして計算しています。

図解 いちばん親切な相続税の本 24-25年版 目次

2024年度 税制改正POINT! …… 2

マンガ Prologue 父の突然の死……どうなる、園田家!? …… 6

■ はじめに …… 10

■ 登場人物紹介 …… 11

困った! 相続トラブルQ&A こんなときどうすればいいの!? …… 12

そもそも相続って何? 相続は亡くなってから行うこと 贈与は生前に行うこと …… 16

相続税って誰にでもかかるの? 相続税の申告・納付が必要か自己判定してみよう …… 18

相続税を節税する方法はないの? 知らないと損をする相続税対策のコツ …… 20

ひと目でわかる! 相続スケジュール 相続はその人の死亡によってはじまる …… 22

■ 相続税の早見表 …… 25

第1章 相続できる人のルールを知る

Section1 誰がどのくらい相続できるの?

マンガ 相続できるのは誰? …… 30

■ 誰が遺産を相続できるの? …… 36

■ 故人の戸籍、なぜ調べるの? …… 38

■ 遺産の相続分は決まっているの? …… 40

Section2 これって、もしかして遺言書? さてどうする?

マンガ 遺言書が見つかった! …… 42

■ 遺言書は自由に開けてもいいの? …… 46

■ その遺言書、本当に有効? …… 48

■ 保証された相続分とは? …… 50

■ 有効な遺言書ってどんなもの? …… 52

■ こんなときに遺言が役に立つ …… 54

こんなときどうする? 相続Q&A❶ 遺言書をつくりたいと考えているのですが、どのような方法がよいでしょうか? …… 56

第2章 相続できる財産のルールを知る

Section1 相続財産を具体的に調べよう
マンガ 何を相続できるの？……58
どんなものが遺産になるの？……64
借金は相続しなくてもいい？……66
生命保険金も遺産になるの？……68
財産目録はどのようにつくるの？……70
銀行口座はどうなるの？……72

Section2 財産を評価してみよう
マンガ 相続財産はどう評価すればいいの？……74
財産はどのように評価するの？……78
株式や公社債など金融資産を評価する……80
宅地は路線価か倍率で評価する……84
借地と貸地はどう評価するの？……88
家屋はどのように評価するの？……90
そのほかの財産の評価方法を知る……92
こんなときどうする？ 相続Q&A②
アパートを建築して賃貸すると、相続税が安くなるって本当ですか？……94

第3章 財産を分けるルールを知る

Section1 遺産を分割するためには、どうする？
マンガ 遺産分割……うまくまとまるだろうか？……96
遺産分割は話し合いで決める……102
未成年者は協議に参加できないの？……104
生前に受けた援助や貢献分はどうなるの？……106
住んでいる家や土地はどうやって分けるの？……108
事業や農地を引き継ぐときは？……110

Section2 分割協議が成立したら……やるべきことは？
マンガ 分割協議がまとまったら？……112
遺産分割協議書を作成する……116
相続財産の名義を変更する……118
被相続人の確定申告をする……120
こんなときどうする？ 相続Q&A③
相続した自宅を売却して兄弟で分ける予定ですが、何かよい節税方法はありませんか？……122

第4章 相続税の金額を計算する

Section1 相続税はどうやって計算するの？
マンガ 相続税を計算しよう……124
相続税の申告と納付はいつまでにするの？……128
相続税・計算ステップ❶ 課税遺産総額を求める……130
相続税・計算ステップ❷ 相続税の総額を求める……132
相続税・計算ステップ❸ 各人の相続税額を求める……134
Section2 相続税はどうやって納めるの？
マンガ 相続税を納めよう……138
申告にはどんな書類が必要なの？……142
相続税は現金一括払いが原則……144
申告漏れにはペナルティがある……146
こんなときどうする？ 相続Q&A❹ 相続で何が一番のもめごとの原因になるのでしょうか？……148

第5章 節税で税額を低く抑える

Section1 どんな節税方法があるのだろう？
マンガ 節税の基本を知ろう……150
生前にできる相続税対策……154
住んでいる土地の評価額を下げる……156
アパート経営で節税できるの？……158
生命保険は節税にも納税対策にもなる……160
一次相続と二次相続のトータルで考える……162
遺産を寄附すると節税になるの？……164
Section2 生前贈与を上手に活用しよう！
マンガ 贈与を活かして節税しよう……166
なぜ贈与が相続税の節税になるの？……172
「あげたつもり」は贈与にならない！……174
生前に財産を贈与し相続時に精算する制度もある……176
おしどり夫婦の特例、「贈与税の配偶者控除」とは？……178
マイホーム資金の贈与は非課税となる……180
教育や結婚・子育て資金は一括で贈与！……182
巻末付録！ 相続税の申告書類の見方……184
さくいん……188

※本書は原則的に、2024年4月1日現在の情報に基づき、執筆されています。
※本書に掲載されている申告書類は、予告なく変更される可能性があります。

第1章

相続できる人のルールを知る

Section1

誰がどのくらい相続できるの？

- 誰が遺産を相続できるの？
- 故人の戸籍、なぜ調べるの？
- 遺産の相続分は決まっているの？

Section2

これって、もしかして遺言書? さてどうする?

- 遺言書は自由に開けてもいいの？
- その遺言書、本当に有効？
- 保証された相続分とは？
- 有効な遺言書ってどんなもの？
- こんなときに遺言が役に立つ

父が亡くなって
1カ月
ふたたび家族は実家に集まった

母さんも落ち着いてきた頃だし
そろそろ我が家の相続について話し合おうか

まずは何から手をつければいいの？

誰が遺産を相続できるか確認するんだ
誰が

基本的に遺産を相続できる人を法定相続人っていうんだけど
亡くなった人、具体的には父さんの子や父母、兄弟姉妹など一定の親族が法定相続人に当てはまるんだ

法定相続人…？
フーン
？
？？
配偶者である母さんは常に相続人となるよ

じゃああとは
私たちや親戚の人が
相続人になるって
こと？
優先順位が
あるけどね

優先順位？
つまり
ウチの場合は？

第1から第3まで
相続人には相続の
優先順位が
決められていて…
第2順位
母
父
故人（被相続人という）
配偶者
（裕子）
第1順位
長男
長女
次男
智宏
前妻
やよい
夫
和彦
孫
真梨ちゃん
孫
愛美ちゃん
孫
直くん
第1順位が
被相続人の子や孫
第2順位が
父母や祖父母
母
父
故人
兄
姉
おい
めい
第3順位
第3順位が
兄弟姉妹や
甥・姪
そして上の順位の人が
いるかぎり下の順位の人は
相続人になれないんだ

孫も第1順位ってことは
ウチの子たちの分も
考慮してもらえる
のよね？
ほらほらっ
兄さんも娘の
真梨ちゃんの分を
もらえると
助かるでしょ？

娘（真梨）
高1
ま、まあ…

孫が相続人となるのは
代襲相続っていって
子が亡くなってた
場合だけ
姉さんは生きてるから
愛美ちゃんや
直くんは相続人に
なれないよ
if…
長女
相続人
長男
長女
代襲相続
へ～

さて
ここで相続人を
確定するために
父さんの戸籍を
調べる必要が
あるんだけど…
ええっ！
戸籍!?

父さんの戸籍を
調べるって
どういうこと?
隠し子がいたかも
しれないってこと!?
すまんなぁ
かくし子
まさか…
おろ
おろ

そ
そうなの!?
いや
違う違う
なんでやねん
わあっ

相続人を1人でも
欠いた遺産分割の
話し合いは無効に
なってしまうから
被相続人つまり父さんの
戸籍を出生時まで
さかのぼってすべて調べる
必要があるんだよね

なるほど…
ホッ

相続人の現在の
戸籍謄本を
取得しておくことも
必要だよ
市民課
へ〜
私たちも!

そうそう
ところで
分け方に
決まりは
あるの？
たとえば
全部母さん…
でもいいものなのかい？

えー
そりゃあ
母さんには
楽してもらいたい
けど～
ウチもローンあるし
子どももこれから
お金かかるしさ～
ちょっと考えて
ほしいなって
そうだねぇ

それは
相続人どうしの
話し合いか
遺言によって
自由に
決められるよ
ああ！
あるよね
TVとかで相続の
話し合いで揉めて
泥沼とかさぁ

姉さんドラマ
観すぎだから

話し合いで
決まらない
場合には
法定相続分って
いって民法で
定められた
割合を基準に
配分するんだよ

配偶者と子がいる場合
基本は配偶者と子で
½ずつ分ける
つまりウチの場合の
法定相続分は
配偶者である
母さんが½
仲良く
分けるんだぞ〜
残りを子である
俺ら3人で
等分するから
⅙ずつとなる
分け方の
ルールが
きちんと
決められて
いるのね
ホント…
でも
法定相続分は
あくまで
目安だから
遺言があったり
相続人全員が
納得すれば
どのような
分け方をしても
いいんだよ
へえ〜〜
母さんが多めに
もらえるなら…
俺の今後も
安心だな…
う〜ん
1/6かぁ〜
ちょっと
がめついぞ妹

誰が遺産を相続できるの?

Point

法定相続人となれるのは被相続人の配偶者と、子や父母、兄弟姉妹などの血族です。また、相続の優先順位は決まっています。

ココを押さえる!

- ☑ 財産を受け渡す人（故人）を被相続人、財産を引き継ぐ人を相続人という。
- ☑ 配偶者以外で相続人になるのは血族のみ。その中で、第１順位から第３順位まで優先順位が決められている。

相続人の範囲と順位は民法で定められている

被相続人（亡くなった人）の財産は、遺言書（→P.48）がある場合は遺言書に書かれていることが優先されて相続されます。

一方、遺言書がない場合は**民法によって規定された相続人（法定相続人という）が相続する**ことになります。

法定相続人となれるのは、**配偶者（妻・夫）および被相続人の子や父母、兄弟姉妹などの血族**にかぎられます。配偶者については、被相続人にどのような血族がいようと常に相続人となります。ただし、婚姻関係にない場合（事実婚や内縁関係）は、相続人にはなれません。

配偶者以外の相続人については、民法で第1順位から第3順位まで、相続人となれる優先順位が決められています。具体的には、**第1順位が被相続人の子（直系卑属※）、第2順位が被相続人の父母（直系尊属※）、第3順位が被相続人の兄弟姉妹**となっています。

上位の順位の者がいるかぎり、下位の者は相続人にはなれません。また、異なる順位の者が同時に相続人になることもありません。

相続人が亡くなっている場合はその子が相続を引き継ぐ

第1順位の相続人である**被相続人の子が先に亡くなっている場合は、その子（孫）が相続人**となります。これを**代襲相続**といいます。もしその孫も亡くなっていて、その子（ひ孫）がいるのであれば、再代襲相続も認められています。

相続とはもともと親から子、子から孫というように**上の世代から下の世代へと財産が引き継がれていくのが自然**と考えられているため、第1順位の子が死亡していた場合、たとえ第2順位の父母が健在でも、子の子、すなわち孫やひ孫のほうが優先されることになるのです。

また、代襲相続は、第3順位の兄弟姉妹にも認められます。相続人となっている兄弟姉妹が被相続人より先に亡くなっている場合に、その子（甥・姪）がいれば同等順位の相続人となります。ただし、甥・姪が仮に死亡していても、その子への再代襲相続は認められていません。

法定相続人の順位と範囲

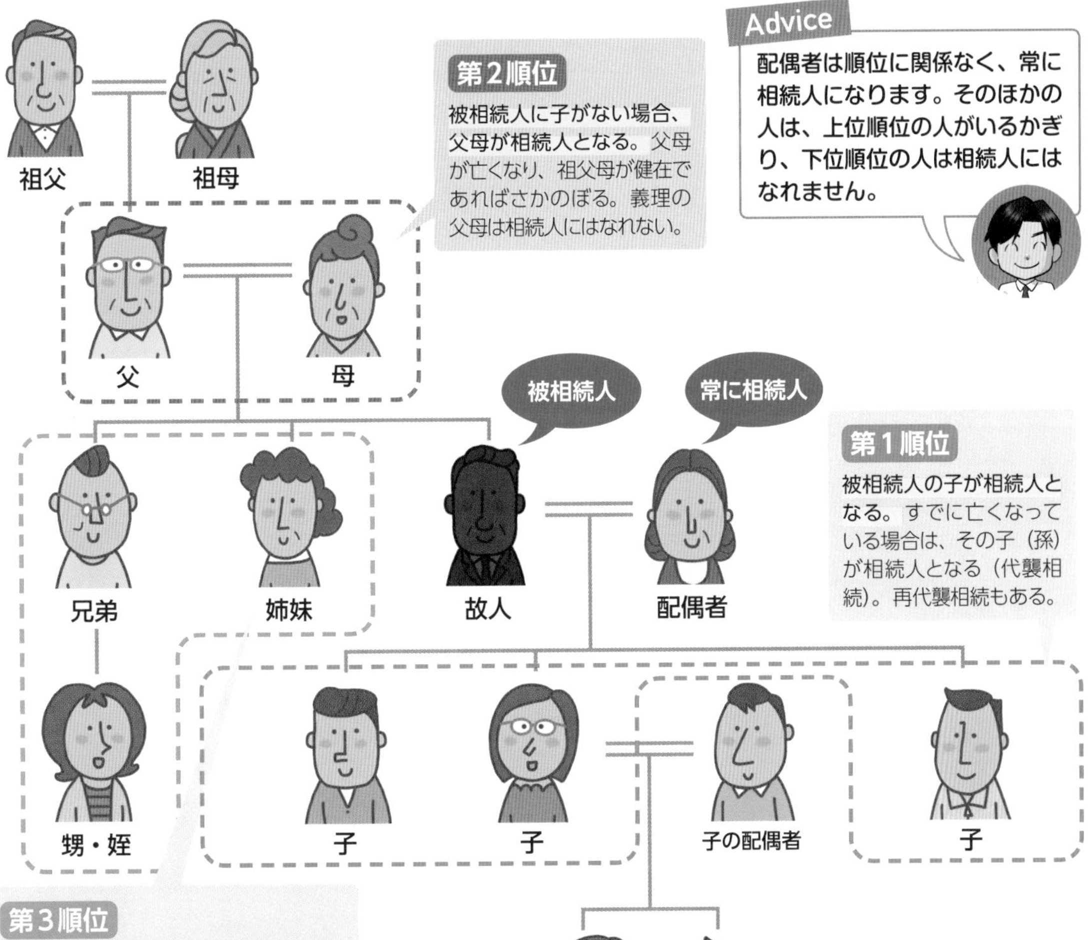

こんなときどうする!?

もしも亡くなった夫の母と祖父が健在だったら？

被相続人は55歳・男性。配偶者（妻）はいますが、子はなし。被相続人の母と祖父が存命です。このような場合、誰が相続人となるのでしょうか。被相続人に子がいないので、配偶者のほかに相続人となるのは第2順位の父母。父母両方がすでに亡くなっている場合には祖父母の代までさかのぼります。健在なのが被相続人の母と祖父というケースでは、**被相続人の母のみが第2順位の相続人となり、祖父は相続人とはなりません。配偶者と被相続人の母とで財産を分け合うことになります。**

Key Word

直系卑属、直系尊属

直系の血族のうち、子・孫・ひ孫のように自分より下の世代を直系卑属といい、父母・祖父母・曾祖父母のように自分より上の世代を直系尊属という。兄弟姉妹を介する関係、たとえばおじ・おば、甥・姪、いとこなどは直系には含まれない。

故人の戸籍、なぜ調べるの？

Point

被相続人の戸籍を出生時までさかのぼり、相続人を確定したあと、その関係性を示す相続関係説明図をつくります。

ココを押さえる！

- ☑ 被相続人の出生時から死亡時までの、すべての戸籍をそろえる。
- ☑ 嫡出子（実子）と非嫡出子（婚外子）は同じ第１順位の相続人となる。ただし、非嫡出子については認知が必要。
- ☑ 連れ子なども養子縁組をすれば、第１順位の相続人となる。

被相続人を確定するために被相続人の戸籍を調査する

相続人となるのは、配偶者および一定の血縁関係にある親族です。したがって、前妻とのあいだの子や認知した子も、相続人となります。一方、内縁の妻や夫、再婚した配偶者の連れ子などは、たとえ同居していたとしても、入籍や養子縁組などの手続きをとらないかぎり、相続人になることはできません。

相続の手続きをするときにも必要となりますので、**被相続人が生まれてから亡くなるまでのすべての戸籍を取り寄せて、誰が相続人となるかを確定**します。

２０２４（令和６）年３月から始まった**戸籍の広域交付制度**により、住居地や勤務地の最寄りにある市区町村役場の窓口で、戸籍謄本などをまとめて請求できるようになりました（ただし、コンピュータ化される平成６年以前のものは、以前の方法により取得する必要があります）。

配偶者の連れ子を相続人とするには養子縁組をしておく

被相続人の「子」として世間的に認められた存在であっても、相続人となれる場合となれない場合があります。

まず考えられるのは、被相続人の嫡出子（実子）と非嫡出子（婚外子）です。**嫡出子（実子）とは、法律上婚姻している父母から生まれた子のこと**。出生後に父母が離婚していても、子に相続権があります。**非嫡出子（婚外子）とは、法律上婚姻関係にない男女（愛人や内縁関係）のあいだに生まれた子のこと**をいいます。２０１３年12月の民法改正前までは、「非嫡出子の相続分は嫡出子の半分」とされていました。しかし、現在は認知さえされていれば、**実子と平等の相続分**が認められます。

一方、結婚相手に連れ子がいた場合、その連れ子と被相続人には血のつながりがないため、連れ子は相続人にはなれません。いくら長年ともに暮らし、親子としての実態があったとしても、それだけでは相続権は認められないのです。遺言により財産を遺贈するか、養子縁組をしておくことが必要です。

また、相続開始時に配偶者が妊娠中の場合は、その**胎児も相続人**となれます。

相続関係説明図（基本の書式）

Advice
被相続人・相続人（全員分）の戸籍謄本・住民票を見ながら氏名、生年月日、住所などを記入していきましょう。相続人以外の記載は必要ありません。

被相続人 神野一郎　相続関係説明図

被相続人は、氏名、出生と死亡の年月日、最後の本籍地と住所を明記。

作成者　神野千代

（被相続人）神野一郎
出生　昭和X年X月X日
死亡　平成X年X月X日
最後の本籍　東京都世田谷区
　　　　　　新町X丁目
最後の住所　東京都世田谷区
　　　　　　新町X丁目X番X号

（相続人）神野千代［妻］
出生　昭和X年X月X日
住所　東京都世田谷区
　　　新町X丁目X番X号

神野太一［長男］
出生　昭和X年X月X日
死亡　平成X年X月X日
住所　東京都世田谷区
　　　新町X丁目X番X号

神野春子［長男の妻］

代襲相続人は、被相続人との関係がわかるようにする。

（相続人）神野翔太［孫（長男の子）］
出生　平成X年X月X日
住所　東京都世田谷区
　　　新町X丁目X番X号

（相続人）西田千尋［長女］
出生　昭和X年X月X日
住所　千葉県柏市青葉台
　　　X丁目X番X号

（相続人）神野宏介［次男］
出生　昭和X年X月X日
住所　埼玉県さいたま市浦和区
　　　北浦和X丁目X番X号

相続人は氏名、被相続人との続柄、出生年月日、現住所を明記。

配偶者の連れ子を相続人とするには養子縁組が必要になる！

最近では離婚や再婚を繰り返すなどして、相続にかかわる人間関係が複雑になっているケースが少なくありません。たとえば、再婚相手の連れ子を実子と同じ第1順位の相続人としたいのであれば、養子縁組をしておくことが必要です。

養子は実の父母と養父母、両方の相続人となれます。民法上は、養子は何人いてもかまいません。ただし、税法上は、法定相続人の数に算入する養子の数には制限がありますので、注意が必要です（→P.130）。

Key Word

相続関係説明図(そうぞくかんけいせつめいず)

被相続人の相続人が誰であるかを、一目でわかるように図式化したもの。この書面を法務局に提出すると、戸籍謄本の原本などを返してもらうことができる。返してもらった戸籍は、ほかの遺産相続手続きに利用することができる。

遺産の相続分は決まっているの？

Point

法定相続人どうしの話し合いで合意できなかったときのために、民法で法定相続分が決められています。

ココを押さえる！

- ☑ 民法によって定められた相続分を法定相続分といい、遺産分割の目安となる。
- ☑ 配偶者の法定相続分は、ほかにどの順位の相続人がいるかにより異なる。
- ☑ 遺言によって指定された相続分を指定相続分という。

法定相続人の相続分は民法で決められている

複数の法定相続人(ほうていそうぞくにん)がいる場合、誰が、どの財産を引き継ぐかを決めなければなりません。このときの分割割合の目安となるのが、**民法に定められている相続分**です。

相続分とは、**各相続人が相続する割合のこと**で、相続において、遺言(ゆいごん)もなく、相続人どうしの話し合い（遺産分割協議↓P.102）によっても合意が得られなかった場合には、この割合に従って配分します。これを**法定相続分**(ほうていそうぞくぶん)といい、どのような相続人が何人いるかによって割合が変わります。

一方、**遺言では法定相続分に関係なく自由に割合を指定することも可能**です。これを**指定相続分**(していそうぞくぶん)といいます。

ただし、いくら自由に決められるといっても、ある特定の人物だけに遺産が集中したり、不公平を感じるような分配となってしまったりしている場合には、民法で保証された最低限の相続分（遺留分(いりゅうぶん)↓P.50）についての権利を主張することが認められています。

法定相続分は相続人の順位によって異なる

法定相続分は、**配偶者(はいぐうしゃ)がいるか、いないか**で大きく変わります。さらに配偶者の法定相続分は、ほかにどの順位の相続人がいるかによって異なります。

配偶者と第1順位の子が相続人となる場合は、配偶者と子の法定相続分は、それぞれ2分の1です。子が複数人いる場合は、2分の1を人数で等分にします。

配偶者と第2順位の父母が相続人となる場合は、配偶者の法定相続分が3分の2となり、父母の法定相続分は3分の1です。父母がともにいる場合には、父母で3分の1を等分します。

配偶者と第3順位の兄弟姉妹が相続人となる場合は、配偶者の法定相続分が4分の3となり、兄弟姉妹の法定相続分は4分の1です。兄弟姉妹が複数人いる場合は、4分の1を人数で等分します。

配偶者がすでに亡くなっている場合は、その子など同一順位の相続人で等分します。また、代襲相続人(だいしゅうそうぞくにん)（→P.36）は、もともとの相続人の相続分を引き継ぎます。

法定相続分

●配偶者がいるケース

Advice

配偶者は常に相続人となりますが、ほかにどのような相続人がいるかによって相続分が変わります。

配偶者のみ

子も父母も兄弟姉妹もいない。配偶者がすべてを相続する。

配偶者と子がいる

配偶者と第1順位の子で1/2ずつ。

配偶者と親がいる

子がいなくて、第2順位の父母のみいる場合、配偶者が2/3、残り1/3を父母が相続する。

配偶者と兄弟姉妹がいる

子も親もいなくて、第3順位の兄弟姉妹がいる場合。配偶者が3/4、残り1/4を兄弟姉妹が相続する。

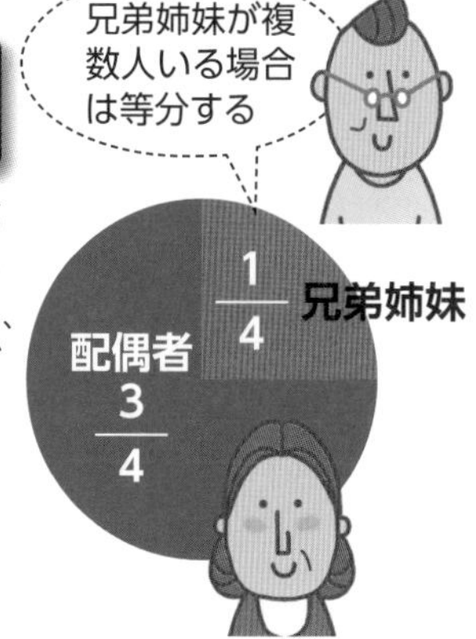

●配偶者がいないケース

子がいる

複数人いる場合は等分する。

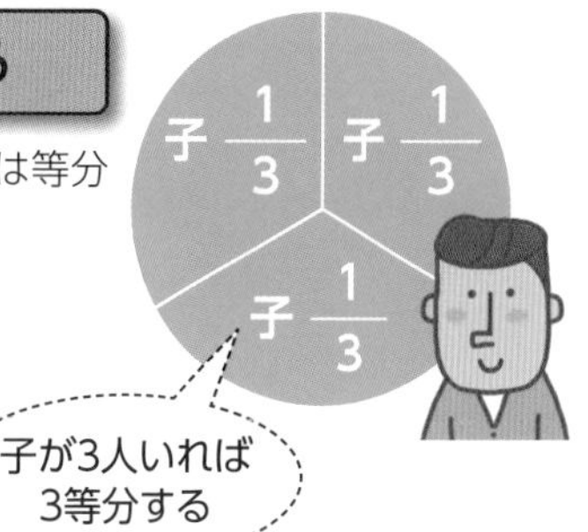

子と孫がいる

子がすでに亡くなっている場合に孫がいれば、その子の相続分を孫が引き継ぐ。

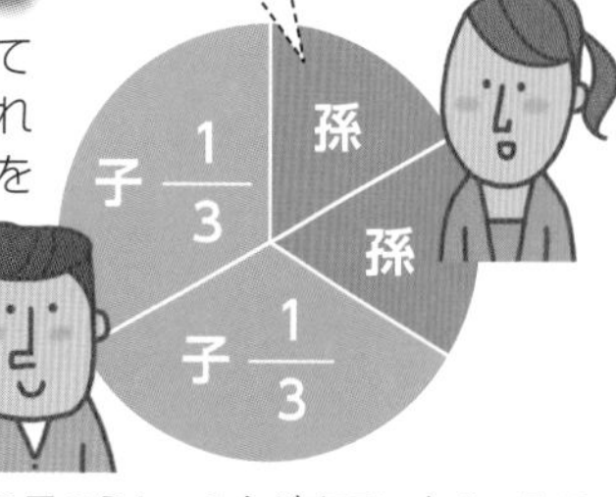

※3人の子のうち、1人がすでに亡く、その子に2人の孫がいた場合。

こんなときどうする!?

子も、親も、兄弟姉妹もいなかったら？

未婚や配偶者に先立たれた人で、親はすでに他界、子も兄弟姉妹もいない、いわゆる「おひとりさま」のケースでは、財産は誰に相続されるのでしょうか。

法定相続人が誰もいないということになるので、**原則として、財産は国庫に帰属します。**相続人がいないけれども、財産を国庫に帰属したくないというときは、**遺言を作成しておけば、お世話になった人に遺贈（死後に贈与すること）したり、公益団体に寄附をしたりといったことはできます。**

また、仮に遺言がなくても、特別縁故者（内縁の妻や夫、療養介護に努めた者など）が裁判所に申し立てをすれば、一定の財産が分与されることもあります。

自分が死んだあとで、手間をかけないためには、遺言を作成しておくといいでしょう（→P.52）。

□□弁護士事務所
これから東京？
はい　父の四十九日で…

遠いから大変ね
それより相続の話し合いが面倒ですよ

まあまあ
家族のためでしょ いってらっしゃい

新大阪
しんおおさか
Shin - Osaka

和彦 これ見てくれないか？
！
遺品整理で見つけたんだ 父さんの遺言書
どうやら父さんの意思は母さんにすべての遺産をあげることみたいなんだ

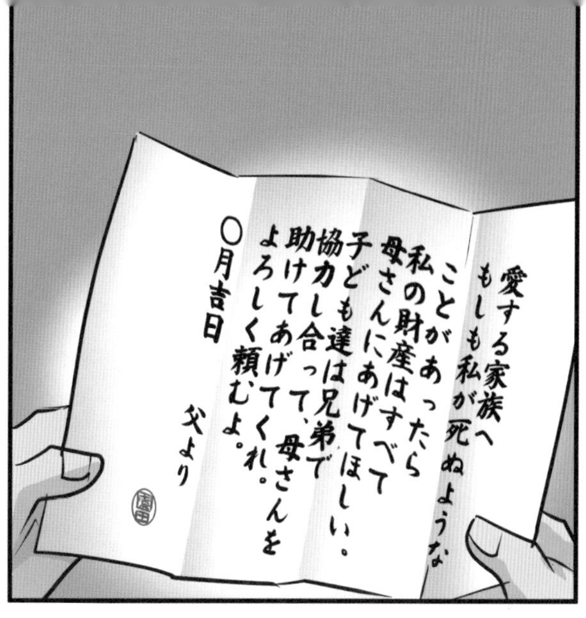
愛する家族へ
もしも私が死ぬような
ことがあったら
私の財産はすべて
母さんにあげてほしい。
子ども達は兄弟で
協力し合って、母さんを
助けてあげてくれ。
よろしく頼むよ。
○月吉日
父より

もしこの遺言書がちゃんとしたものだったら遺産はすべて母さんのものになっていたの？
……
そうとはかぎらない

そうだな…たとえば
遺言書に「財産はすべて愛人のA子にあげる」って書いてあったら…

愛人!?
ハジメマシテA子デス

父さんに愛人いたの!?
初耳!!
たとえばって言ったろ！

その愛人に父さんの財産を全部あげてもいい？
おろおろ
だめよそんなの！
その場合は遺留分を請求できる
遺留分？

俺たち法定相続人は遺言書の内容に関係なく一定の相続分を請求する権利があるんだ
遺留分の請求によって法定相続人は最低限の取り分を保証される

遺言書が正式なものだった場合配偶者である母さんは全遺産の1/4
子である俺たちも同じく1/4まで請求できるよ
1/2
1/4
1/4を3等分
この場合の俺たち3人の遺留分は遺産総額の1/12となるのか…

テレビで見るような遺産相続の裁判も遺留分で揉めているのかしら
そうとはかぎらないけど、遺言書をつくるときは遺留分にも配慮しないとトラブルになりやすいね

遺言の正しさは
どうあれみんなが
納得すれば
父さんの意思に
従ってもいいんだ
どうする?

ちら
ちら

みんなで
分けましょ
ホッ

じゃあ兄さん
今度集まるときまでに
父さんの遺産を
すべて調べておいて
全部!?
うん俺は
そろそろ大阪に
帰るから
和彦…

兄さん
よろしくね
やよいも
手伝えよ

無理よ
私だって
忙しいんだから
そもそもこの家に
住んでるのは
兄さんだし
やりやすいでしょ
悪いけど
私も帰るね
子どもたちが
待ってるから

…

遺産相続かぁ

あの子たちを
信じましょうね…
母さん
私のことも
信じてくれ…
でも愛人は
許さないから

遺言書は自由に開けてもいいの?

Point

遺言は、おもに財産をどのように残したいかについて、被相続人の意思を書き記すための法的な文書です。

ココを押さえる!

- ☑ 被相続人が亡くなったら、遺言書の有無を確認する。
- ☑ 遺言とは、民法に従った法的な文書である。
- ☑ 自筆証書遺言を見つけたら開封せず、家庭裁判所に検認の申し立てを行う。

被相続人が亡くなったら遺言書の有無を確認する

遺産分割は、相続人どうしの話し合い(遺産分割協議→P.102)によって決めていきます。ただし、**遺言書があれば、遺言の内容に従って遺産分割の手続きをする**ことができます。

遺言とは、**財産の所有者である被相続人が生前からの意思を書き記した文書のこと**で、民法に規定された財産や身分に関する記載事項については法的な拘束力が生じます。被相続人が亡くなったら、まずは**遺言書の有無を確認**しましょう。

被相続人が生きているうちに、遺言を書いているかどうか、書いているのであればどこに保管しているかなどを確認していれば問題ないのですが、デリケートな問題だけに聞きづらい、あるいは突然の死で尋ねる間もなかったというケースもあるでしょう。

一般に遺言書の保管場所とされるのは、自宅や事務所のほか、貸金庫、公証役場、信託銀行などです。あとで遺言書が出てきたということがないように、十分に探しておくことが大切です。法務局に保管する制度も創設されます。

遺言書を勝手に開けたり隠したりすると罰則がある

自筆証書遺言(→P.48)を見つけた、もしくは被相続人から預かっていたという場合、相続人は家庭裁判所に**検認の申し立て**を行わなければなりません。

検認とは、遺言書の存在と内容をすべての相続人に知らせたうえで、遺言執行まで確実に保存するための手続きのことです。ただし、検認を受けたからといって、その遺言書の内容すべてが法的に有効なものであるという証明にはなりません。なお、法務局に保管した遺言書は検認不要です。遺言書が封をされていた場合、検認を受ける前に、**勝手に開封すると5万円以下の過料**(罰金)が科せられます。

このほかにも、遺言書を故意に隠したり、破棄したり、内容を変更したりしたことが判明した場合は、相続人としての資格を失うこと(相続失格)となりますので、遺言書の扱いには、十分な注意が必要です。

自筆証書遺言の検認までの流れ

自筆証書遺言書が見つかる

●よくある遺言書の保管場所
- ☑自宅・事務所
- ☑公証役場
- ☑貸金庫
- ☑信託銀行

検認を申し立てる

自筆証書遺言を保管していた人、または発見した人が申立人となって、被相続人の住所地を管轄する家庭裁判所に検認の申し立てをする。

必要書類
- ・遺言書の検認申立書
- ・申立人、相続人全員の戸籍謄本
- ・被相続人の戸籍謄本（出生時から死亡時まで）
- ・印紙（遺言書1通につき800円）　など

検認期日の通知

検認を行う日時が確定すると、相続人および利害関係者に通知が送られる。

検認

家庭裁判所にて、相続人あるいはその代理人、利害関係者らの立ち会いのもとで、保管されていた遺言書を裁判官が開封する。遺言書の書式、署名、日付、訂正の状態などを確認するとともに、被相続人によって作成されたものかを認定し、内容を告知する。

検認済証明書の作成

遺言書原本に「検認済証明書」が添付され、申立人に返還される。

遺言の執行

Advice
検認は遺言書の存在を確認するためのものなので、検認を受けても遺言の内容が法的に有効だと証明されたことにはなりません。

※法務局に保管した遺言書については、検認不要です。

自筆証書遺言の検認は手間と時間がかかる

自筆証書遺言の検認を家庭裁判所に申し立てるには、遺言者の出生から死亡までの戸籍謄本と相続人全員の戸籍謄本を添付しなくてはなりません。遺言者が高齢の場合や相続人が多い場合などには、戸籍をすべてそろえるのに1ヵ月以上かかることもあります。また、裁判所に検認を申し立ててから実際に検認ができるまでには1～2ヵ月程度かかります。つまり、自筆証書遺言の場合、遺言の執行ができるまでに2～3ヵ月はかかってしまうのです。検認の申し立てがあると、裁判所はすべての相続人に対して検認をする旨の連絡をします。相続人には検認に立ち会う権利があり、検認を申し立てた遺族はほかの相続人の立ち会いを拒否することはできません。

その遺言書、本当に有効？

Point

効力のある遺言書にするためには、形式を守り、内容に不備のないものを書き記しておくことが大切です。

ココを押さえる！

- ☑ 遺言書には、普通方式と特別方式の2つがある。
- ☑ 一般に使われるのは普通方式で、自筆証書遺言、公的証書遺言、秘密証書遺言の3種類ある。
- ☑ 遺言によって法的な効力を持たせることのできる事項と、法的な効力を持たせられない事項がある。

遺言には自筆証書遺言や公正証書遺言などがある

遺言には大きく分けると、通常時に使われる普通方式と、特殊な状況で使われる特別方式があります。普通方式の遺言には自筆証書遺言、公正証書遺言、秘密証書遺言の3種類あり、中でも一般的なものが**自筆証書遺言と公正証書遺言**です。

自筆証書遺言とは、本人の自筆によって書かれたものをいいます。ただし、自筆であれば、あとは自由に書いていいというわけではありません。法的に効力のある遺言とするためには、**定められた形式をきちんと守ることが必要**です。たとえば、日付や署名の記載がないもの、押印のないものは無効ですし、原則として、**パソコンなどでの作成も認められていません。**自筆証書遺言は、手軽に作成できると思われがちですが、様式の不備などにより無効となってしまうことも多いのです。一方、**公正証書遺言は、公証役場で公証人と証人2人の面前で、遺言の文面を作成**します。遺言の保管まで公証役場が行うため、紛失や偽造のおそれがありません。また、**検認が不要**なので、死亡後すぐに相続の手続きをはじめることができるメリットもあります。手間と費用がかかりますが、遺言書をつくるのならば、公正証書遺言をおすすめします。

法的に効力のある遺言をすみやかに執行してもらう

遺言の中で、法的な効力を持たせることができる内容にはかぎりがあります。

具体的には、①相続人のうち誰にどの財産を相続させるか（遺産分割の指定）など**相続に関すること**、②財産を相続人以外の誰に引き継ぎたいか（遺贈、寄附）など**財産の処分に関すること**、③**遺言の執行を誰に依頼するか**（遺言執行者の指定）、④**葬儀の主催やお墓の管理を誰に頼むか**（祭祀継承者の指定）などがあります。

また、遺言には**付言事項**というものがあり、「家族で仲良く暮らすように」など、自由に自分の言葉でつづることができます。付言には法的な拘束力はありませんが、とくに財産分けの理由や家族への感謝の気持ちを記しておくことは、円満な相続のためにも大切なことです。

おもな遺言書の種類

	自筆証書遺言	公正証書遺言	秘密証書遺言
作成方法	遺言者がすべてを自筆で書き、押印する。財産目録については、パソコンでの作成も可能に。	公証人が遺言者の口述したものを筆記し、作成する。	遺言者が作成して封印したものを公証役場で認めてもらう。
作成者	遺言者	公証人と遺言者	遺言者
証人	不要	2人以上必要	2人以上必要
費用	かからない	証書作成手数料 ※相続財産の価額に応じた額	証書作成手数料 ※一律11,000円
検認	必要 （法務局に保管したものは不要）	不要	必要
特徴	●手軽に書ける。 ●**形式の不備があると無効**になってしまう。 ●紛失や偽造、変造のおそれがある。 ●法務局に保管する制度が創設される。	●形式の不備により無効となることはない。 ●公証役場で保管されるので、**紛失や偽造、変造のおそれはない。** ●公証役場に行く手間と費用がかかる（公証人に出張してもらうことも可）。	●遺言の内容を秘密にできる。 ●パソコンで作成してもよい（署名・押印は必要）。 ●形式の不備があると無効になってしまう。 ●紛失のおそれがある。

プラス1ポイント

遺言執行者を選任しておくとトラブルを防ぐことができる

遺言執行者とは、遺言の内容を実現させる役割を請け負う人のことです。遺言者が遺言の中で指定するのが一般的です。遺言に指定のない場合は、相続人の話し合いで決めるか、家庭裁判所で選任してもらいます。

遺言執行者は、相続人の中から指定してもかまいません。しかし、利害関係が複雑に絡む場合や財産が多く、名義変更の手続きが大変な場合には、弁護士などの専門家を指定しておくとスムーズです。

保証された相続分とは？

Point

たとえ遺言があっても、兄弟姉妹以外の相続人には、最低限の遺産の相続分が保証されています。

ココを押さえる！

- ☑ 遺産の分割は、原則的には遺言の内容が優先される。
- ☑ 配偶者や子あるいは父母など一定の相続人には、一定割合の相続分が遺留分として認められている。
- ☑ 遺留分を侵害している者に対して、1年以内に遺留分侵害額の請求をすることができる。

配偶者などには最低限保証された相続分がある

「**財産を所有している者が、その財産を自由に処分できる、その権利は生前であっても、死んだあとでも変わらない**」というのが民法の原則です。

したがって、きちんとした遺言があれば、その内容が被相続人（故人）の意思として優先されます。遺言で「相続人以外の誰か（たとえば友人など）に全財産を遺贈する」とあれば、それも可能なのです。

しかし、それがそのまま認められてしまうと、相続人である家族が被相続人に扶養されていたり、被相続人の家に同居していたりした場合、住む家を失うなどの事態になり、生活が立ち行かなくなるケースが想定されます。

このように本来、遺産を引き継ぐ権利のある相続人にとってあまりにも不公平な事態となることを防ぐために、民法では、**一定の相続人が最低限取得できる財産を遺留分として保証**しています。つまり、被相続人がどんなに偏った遺言を残していたとしても、一定の相続人であれば遺留分を取り戻すことができるのです。

遺留分が認められるのは、第1順位（子）と第2順位（父母）の相続人までで、第3順位の兄弟姉妹には認められません。

遺留分の割合は、法定相続人が父母のみの場合は全相続財産の3分の1、配偶者や子（子が亡くなっている場合は孫）がいる場合は全相続財産の2分の1です。

遺留分を取り戻すためには遺留分侵害額の請求を起こす

相続人の遺留分を侵害しているからといって、自動的にその遺言が無効になるわけではありません。相続人が遺言によって遺産を受け取った受遺者に対して、**遺留分侵害額の請求を起こすことが必要**となります。遺留分侵害額の請求を起こす際は、内容証明郵便を利用することで確実に意思を伝えることができます。

この遺留分の請求権は、相続の開始および遺留分を侵害する贈与や遺贈があったことを知ったときから1年間で消滅します。また、知り得なかったとしても相続開始から10年間経過した時点で請求権はなくなります。

法定相続分に対する遺留分

パターン① 配偶者のみ

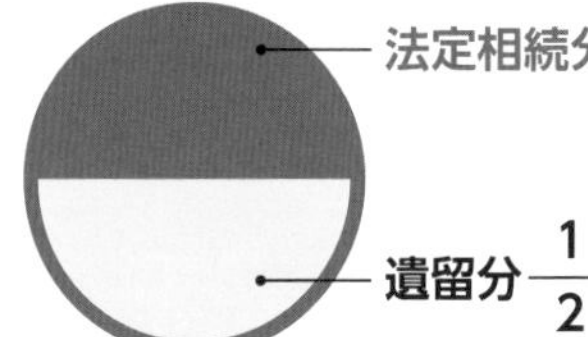

パターン② 子のみ

※子の人数に応じて、均等に分割する。

法定相続分
遺留分 1/2

パターン③ 父母のみ

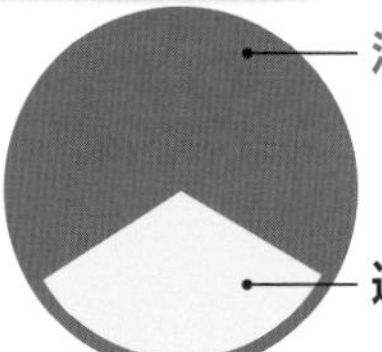

※父母とも存命の場合、父母分をさらに1/2ずつ分ける。

パターン④ 兄弟姉妹のみ

例

被相続人に配偶者と子1人がいる場合

↓

「相続財産6,000万円のすべてをAさん（法定相続人ではない人）に遺贈する」
といった遺言があっても
遺留分として配偶者と子は1,500万円（1/4）ずつを請求できる

こんなときどうする!?

「ペットに全財産を残す」……という遺言だったら?

自分の死後、家族同然に愛情を注いでいたペットの行く末を案じて、ペットのために財産を残したいと考える人がいても不思議ではありません。

しかし、**現在の法律ではペットに財産を残すことはできません**。ただ、ペットを引き取ってくれることや里親を探してくれることなどを条件に、**財産の一部を遺贈することは可能**です。これを**負担付遺贈**（ふたんつきいぞう）といい、受遺者の合意を得ておくことが必要です。

なお、被相続人が亡くなったあと、財産だけ受け取って、約束を反故にするケースを防ぐためにも、遺言執行者を指定し、約束が履行されているかをチェックしてもらうようにしておくと安心です。守られていない場合には、その遺言を無効にすることもできます。

有効な遺言書ってどんなもの？

Point

遺言書を作成するには、自分で書く方法と、専門家に頼んで書いてもらう方法の2パターンあります。

ココを押さえる！

- ☑ 遺言は、相続人どうしの無駄な争いを軽減させる。
- ☑ 遺言を書けるのは、意思表示能力のある満15歳以上の人と定められている。
- ☑ 自筆証書遺言は、ルールにのっとって書かれたものでなければ無効となる。

遺言を書く者には明確な意思能力が求められる

遺言は、文書にしておかなければ効力を発揮できません。**財産を残していく者として、その意思を明確に書き記しておくこと**が大切です。

とくに、法定相続人以外の人に遺産を分けたい場合や、本来の相続分と異なる割合で相続させたい場合などには、遺言をつくっておいたほうがいいでしょう。このとき付言事項として、その理由もあわせて明記しておくと、相続人としても受け入れやすくなります。

ただし、**遺言できるのは、意思表示をする能力のある15歳以上**と定められています。遺言者には明確な意思能力や判断能力が備わっていることが求められるため、たとえば認知症が進んでしまうと、遺言書をつくれなくなってしまいます。

次ページで自分で書く遺言、すなわち**自筆証書遺言の基本的な書き方**について説明します。形式上のルール（左図参照）が守られていない、必要事項が記されていないなどの不備があると、せっかく書いても遺言としての効力が認められず、無駄になってしまいます。

公正証書遺言と秘密証書遺言のつくり方

公正証書遺言は公証役場にて公証人が作成してくれるため、検認の必要もなく、書き方や内容の不備で無効になることもありません。しかし、作成日までに公証人と事前打ち合わせをしたり、証人や資料をそろえたりといった手間はかかります。公証役場へ出向いて作成するのが基本ですが、病気等の理由で遺言者が動けない場合には、公証人に出張してもらうこともできます。

秘密証書遺言は遺言者が自分で作成し、署名・押印したものを封印します。その後、公証役場にて遺言書の存在を公的に認めてもらいます。自筆証書遺言と違って、少なくとも署名が自筆であれば、パソコンや代筆による作成も認められます。

なお、遺言書は、遺言者自らが破棄したり、新しい遺言を作成したりすることで、前の遺言の内容を撤回することができます。**何度でも、いつでも撤回は可能**です。

自筆証書遺言の書き方（例）

Advice
財産目録については、パソコンでの作成も認められます。その場合、財産目録に署名・押印します。

ルール
遺言によって財産を渡す人（遺言者）の氏名を明記する。

ルール
作成年月日：
年号から年月日まで正確に記す。「吉日」などといった表記は認められない。

ルール
この遺言の内容を誰にとり行ってもらうか、その人の氏名を明記する。

ルール
「誰に」「何の財産を」相続させるのかを明記する。

遺言書

遺言者夏村政男は、次のとおり遺言する。

1　妻夏村恵子には、次の土地と家屋を相続させる。
（1）東京都杉並区和泉X丁目X番X号
　宅地　X平方メートル
（2）東京都杉並区和泉X丁目X番X号
　家屋番号X番　木造瓦葺2階建　居宅1棟
　床面積1階　X平方メートル
　2階　X平方メートル

2　長男夏村明には、次の財産を相続させる。
（1）A株式会社の株式全部
（2）Bカントリークラブのゴルフ会員権

3　長女田中紗世と次女鈴木京子には、次の財産を2分の1ずつ相続させる。
　C銀行永福支店　定期預金の全額
　口座番号　XXXXXX

4　上記以外の財産は、妻夏村恵子に相続させる。

5　この遺言の遺言執行者として、長男夏村明を指定する。

XX年XX月XX日

遺言者　住所　東京都杉並区和泉X丁目X番X号
遺言者　夏村政男　㊞

ルール
署名・押印：
フルネームで署名し、押印する。印鑑は認印でもよいが、実印が望ましい。

そのほかのルール
- 訂正する際は、訂正箇所に二重線を引いて押印すること。その横に訂正内容を記す。欄外にもその旨を明記し、署名する。なお、書き損じた場合には、新たに書き直したほうがよい。
- 封筒に入れなくてはいけないという決まりはないが、変造や改ざんされないためにも封印しておいたほうがよい。

会社の株式を事業の後継者である甥に譲りたい！

たとえば、「自身が経営する会社の株式を甥（おい）に譲りたい」など相続人以外の者に財産を残したいという場合、最低限相続人の遺留分に配慮した遺言内容にすることが望ましいです。そのうえで、なぜ甥（おい）に株式を相続させたいのか（子は後継ぎとなることを拒んだが、代わりに頑張ってくれているからなど）という理由を付言事項として書き記しておきましょう。

こんなときに遺言が役に立つ

Point

相続において、特別な思いや事情があるときは、トラブル防止のためにも遺言にしておくことが大切です。

ココを押さえる!

- ☑ 遺産分割にまつわるトラブルは、遺産額が少ないほう(5,000万円以下)がよく起こる。
- ☑ 財産が自宅不動産と預貯金のみ、というケースは要注意。
- ☑ 遺言を残しておいたほうがよいケースを覚えておく。

相続が〝争続〟とならないために財産が少なくても遺言を残す

被相続人(ひそうぞくにん)の死後、残された財産をめぐり、相続人(そうぞくにん)どうしが争いを起こすケースは年々増えています。

戦前の民法では、家の財産は被相続人の後継ぎとなる子(基本的には長男)が単独で相続するもの(家督相続(かとくそうぞく))とされていました。しかし、昭和22年に民法が改正され、子の相続分は均等となりました。

ところが、年配者の中には家督相続の考え方が染みついていて、子が複数人いるにもかかわらず、自分の財産はすべて長男に相続させるのが当然と考えている人もいまだにいます。

そのため、長男にだけ「自分が死んだら、財産はすべてお前にやる、あとのことは頼む」などと言い残していることがあります。

このようなケースで、当の長男が父の言葉に疑問を持たず鵜呑(うの)みにしていると、父の死後、ほかの兄弟から遺産分割の話を持ちかけられて、トラブルに発展してしまうことがよくあるのです。

財産もそれほどないし、複雑な家庭でもないから大丈夫?

〝相続争い〟と聞くと、莫大(ばくだい)な財産をめぐる争いと思われがちです。しかし、遺産分割にまつわる事件の遺産総額についてまとめた司法統計によると、**遺産総額5000万円以下の事件が7割強**を占めています。さらに、1000万円以下の遺産総額で、家庭裁判所までいくケースも3割となっており、意外に多いのが現実です。財産が少ないケースにこそ争いの火種はむしろ多く存在するのです。

遺産額5000万円以下となると、**財産が自宅不動産と多少の預貯金のみというケースがほとんど**です。これを複数の相続人で均等に分割しようとして、トラブルが起きてしまうのです。自宅不動産に住んでいる相続人がいれば、自宅を処分して現金にすることがむずかしかったり、自宅は長男、預貯金は次男と分ければ、どちらにとっても不公平感がぬぐえなかったりします。その結果、話し合いがまとまらず、裁判所に申し立てるといったケースが珍しくないのです。

遺言を作成しておいたほうがよいケース

ケース1 相続人以外の人に財産を残したい

- 財産を指定して残したい（遺贈）。
- 内縁の妻（夫）に遺産を残したい。
- 面倒を見てくれた人（長男の嫁、近所の人）に財産を残したい。
- 公益法人などに寄附したい。

ケース2 条件付きで遺産を引き継がせたい

- 自分の死後、妻の面倒を見てもらいたいので、自宅は現在、同居中の長男に相続させたい。

ケース3 相続人の中で割合に違いをつけたい

- 会社の跡継ぎである長男には自社株を次男には自宅の土地建物を相続させたい。
- 長女には、生前、住宅資金を援助したので、遺産は次男に多く残したい。

ケース4 子どもがいない

- 妻にすべての財産を相続させたい（兄弟姉妹・甥・姪には相続させたくない）。

こんなときどうする!?

子に相続させる遺言をつくったのに遺言者より子が先に亡くなってしまった！

長男には不動産を、次男には預金を相続させる遺言をつくっておいたところ、長男が遺言者より先に亡くなってしまいました。代襲相続の権利があるはずの長男の子（遺言者の孫）は、長男が相続するはずだった不動産を相続できるのでしょうか。答えはNOです。**孫は代襲相続人となりますが、遺言があったとしても、遺言の内容は代襲相続されないというのが最高裁の判決です。**では、どうすればよいのかというと、「長男Aが遺言者より先に死亡している場合には、孫Bに相続させる」という記載をしておくのです。これを**予備的遺言**といいます。

Key Word

遺贈

遺言によって、指定した人に財産の全部または一部を贈与すること。遺贈する人のことを遺贈者、遺贈を受ける人のことを受遺者という。遺贈には、財産の割合を示した包括遺贈と特定の財産を引き継ぐ相手を指名する特定遺贈の2種類がある。

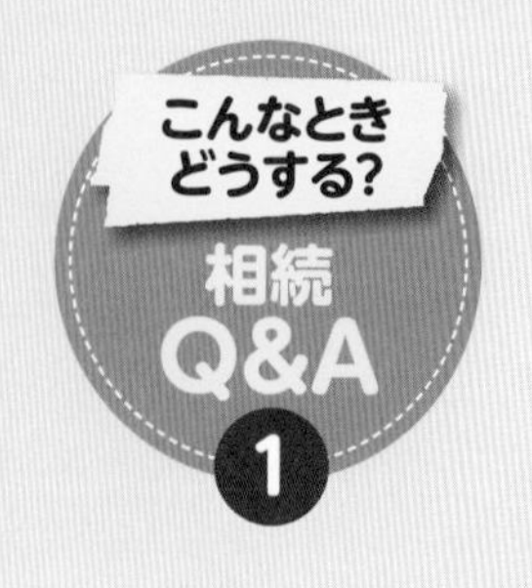

質問者Aさん

Q 遺言書をつくりたいと考えているのですが、どのような方法がよいでしょうか？

財産は、多少の現金と自宅の土地建物のみで、相続人は長男・次男・長女の３人です。自宅はすべて長男に継がせたいと思っていますが、私の意向がわからないと兄弟間で揉めてしまうかもしれません。子どもたちはそれぞれ遠方に住んでおり、たまにしか連絡をとり合っていないようです。子どもたち全員に遺言の内容が行きわたるようにする方法はないでしょうか？

A 法務局での自筆証書遺言保管制度がおすすめです

次の５つの利点があります。

1. 法務局で民法の定める**自筆証書遺言の形式に適合するかどうかをチェックする**ため、のちのち遺言書が形式的に無効となることはありません。

2. 自筆証書遺言は検認手続き（→P.46）が必要でしたが、保管制度を活用すれば**検認手続きが不要**となります。すべての相続人と連絡をとり合う手間や、面倒な手続きを省けるメリットがあります。

3. 遺言書の原本を保管するだけではなく、**画像としてデータ化する**ことにより、死亡後、相続人らが**全国の法務局で遺言書の有無や内容を確認する**ことができます。全国の法務局で閲覧可能です。そのため、すべての相続人が気軽に閲覧でき、改ざんなども防げます。

4. 遺言者があらかじめ保管された遺言の通知を希望している場合、**その通知対象とされた人（遺言者１名につき１人のみ）に対して、遺言書が保管されている旨の通知を行う**ことができます。より確実に遺言書の存在を明らかにすることが可能です。

5. 相続人の１人が保管された遺言書の原本を閲覧したり、画像データの確認申請を行ったりすると、**法務局からすべての相続人に対して遺言書を保管していることが通知**されます。④⑤のしくみにより、遺言書の発見が遅れてトラブルになることを防げます。

このように自筆証書遺言保管制度では、遺言書が法務局で保管されるうえ、存在や保管場所が明確になります。改ざんのおそれもなく、遺言書をのこす人が亡くなったあとの手続きがスムーズになるでしょう。

どこの法務局で保管制度を利用するかについては、遺言者の住所または本籍地、遺贈する不動産の所在地を管轄する法務局から選択できます。また、遺言書の書き直しが必要となった場合は、新しい遺言書に差し替えることもできるので安心です。

第2章 相続できる財産のルールを知る

Section1

相続財産を具体的に調べよう

- どんなものが遺産になるの？
- 借金は相続しなくてもいい？
- 生命保険金も遺産になるの？
- 財産目録はどのようにつくるの？
- 銀行口座はどうなるの？

Section2

財産を評価してみよう

- 財産はどのように評価するの？
- 株式や公社債など金融資産を評価する
- 宅地は路線価か倍率で評価する
- 借地と貸地はどう評価するの？
- 家屋はどのように評価するの？
- そのほかの財産の評価方法を知る

預貯金は
通帳を見れば
わかるし

土地 建物は
固定資産税の
納税通知書で
わかった

まあざっと
こんなもんだろ？
今度いつ来る？
和彦

遺産を分けたあとに
別のが出てくると
いろいろ面倒なんだ
しっかり調べてくれよ
だから今…

株は？
たしか父さん
東都証券で
やってたはずだ
ああ…
今から
調べるよ

借金は？
ちゃんと調べた？
…そんな細かいこと
言うなら
お前が来て調べたら
いいじゃないか

細かいこと
じゃないよ
大事だから
教えてるんだろ
俺の体は
1つしかないんだよ
そっちはそっちで
やってくれなきゃ！

今度東京に
行くから…ああ
…それじゃ

…

ふーっ

お茶
入れるわね
ねえ母さん
父さんに借金
なかったよね？

借金？
家のローンは
終わってるし…

知人の
連帯保証人に
なってるとか…
まさか…
私に隠れて
そんな借金を？

ちがうちがう
和彦が借金も
調べろって
いうもんだから
ないはずよ…
私に隠して
いないなら
それなら
いいけど

相続できるものにはプラスの財産とマイナスの財産があるらしくて…

●おもなプラスの財産

・土地、建物
・自動車、美術品、書画・骨董など
・現金、預貯金
・株式、投資信託など

●おもなマイナスの財産

・借金、住宅ローン、事業の運転資金、未払家賃など
・連帯債務、保証債務
・未払いの税金（所得税、住民税など）

万が一借金がたくさんあっても相続放棄すれば大丈夫なのね

①単純承認（たんじゅんしょうにん）
プラス・マイナスすべての財産を相続する。

②相続放棄（そうぞくほうき）
すべての財産をいっさい相続しない。

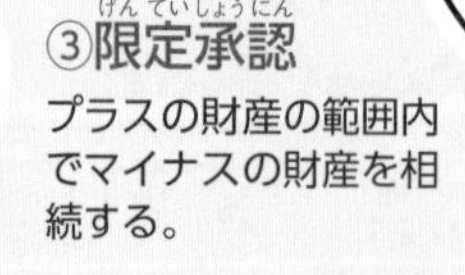

③限定承認（げんていしょうにん）
プラスの財産の範囲内でマイナスの財産を相続する。

相続放棄や限定承認をするためには
相続開始後3ヵ月以内に家庭裁判所に言わなきゃいけないんだよ
申述というらしい
3ヵ月以内…？

もう1ヵ月もないわ急いで調べなきゃ！

あはは…母さんのんびりしてたけど急にスイッチが入ったみたいだな

あらあら父さんの部屋すごいわね
ドロボウが入ったみたい

ほら足もとに気をつけて
あらら

□□弁護士事務所

和彦くん

ご家族の相続は順調？
兄から毎日のように電話が来て困ってます

頼りにされてるのね

俺ならただで使えますから
あはそんな

実際それほど頼りになんてならないですよ

あっ先輩…
すみませんが財産評価を手伝ってもらえません？

いいわよ報酬プラスディナー1回ね
ええ喜んで

生命保険証書

父さんの生命保険金も相続財産になるのかしら？
受取人は…
母さんか…

これは相続財産にはカウントしないで母さんのものになるって和彦が言ってたな

契約者：父
被保険者：父
受取人：母
被保険者である「父」が死亡
生命保険金は受取人である「母」に支払われる
ただし生命保険金も相続税の対象にはなるから（詳しくは68ページへ）
by 和彦

さて和彦が財産目録をつくれって言ってたからやってみるか

●プラスの財産

不動産（土地・建物）

番号	地目	所在地	面積	評価額	名義	備考（現状）
①						
②						

預貯金

番号	種類	金融機関	口座番号	金額	名義	備考（現状）
①						
②						

有価証券

番号	種類	取引会社・銘柄	数量	評価額	名義	備考（現状）
①						
②						

生命保険等

番号	種類	保険会社	保険金額	保険掛金	受取人	備考（現状）
①						

●マイナスの財産

借入金等

番号	種類	支払先・返済相手	借入総額	残額	備考（現状）
①					
②					

どんなものが遺産になるの？

Point

財産には、プラスの財産とマイナスの財産があり、相続すると、そのどちらも引き継ぐことになります。

ココを押さえる！

- ☑ 相続人に受け継がれる一切の財産や権利義務のことを相続財産（遺産）という。
- ☑ 相続財産には、プラスの財産（資産）とマイナスの財産（負債・債務）がある。
- ☑ 祭祀にかかわる財産は、遺産分割の対象とならない。

相続財産はプラスだけでなく借金などマイナスのものもある

被相続人（ひそうぞくにん）が所有していた財産や権利は、遺言（ゆいごん）があればその遺言に従って、なければ相続人（そうぞくにん）の話し合いによって分割されて受け継がれます。

このように**相続人に受け継がれる一切の財産や権利義務のことを相続財産**、もしくは**遺産**といいます。

相続財産には家や土地（不動産）、有価証券、現金や預貯金、貸付金（かしつけきん）や著作権など**プラスの財産（資産）**もあれば、住宅ローンなどの借金、家賃や税金の未払金（みばらいきん）など**マイナスの財産（負債・債務（さいむ））**もあります。相続すると、プラスだけでなく、マイナスの財産も引き継ぐことになります。

ただし、マイナスの財産のほうがプラスの財産より多い場合には、相続そのものを放棄してもよいという制度（相続放棄→P.66）もあります。

相続人は、すべての相続財産を正しく把握することが必要です。

また、**遺産分割の対象にならない財産**もあります。**祭祀（さいし）に関する財産（祭祀財産）**です。祭祀財産とは、系譜（家系図）、祭具（位牌（いはい）、仏壇、神棚（かみだな）など）、墳墓（ふんぼ）（墓石、墓碑、遺骨など）のことであり、これらは分割して相続できるものではないため、通常の相続財産とは異なるかたちで継承されます。具体的には、**承継者を1人決めて引き継ぐのが原則**となります。

相続財産とならない権利義務もある

被相続人が所有していた権利義務は原則として、すべて相続財産に含まれますが、**例外的に含まれないもの**があります。それは、**「被相続人の一身に専属した権利義務」**です。

具体的には、使用貸借契約における借主の地位、代理における本人・代理人の地位、親権者の地位、生活保護受給権、扶養請求権、公営住宅の使用権などがあります。その権利義務の性質上、被相続人自身でなければ成立しないような権利義務のことです。

これらは「被相続人一代かぎりのもの」と考えられ、誰にもその権利義務が引き継がれることはありません。

相続財産となる財産の種類

プラスの財産（資産）

家や土地、現金や預貯金など形ある財産のほか、著作権などの権利も財産になる

- 不動産（土地、建物）
- 動産（自動車、美術品、骨董など）
- 現金、預貯金
- 有価証券（株式、公社債、投資信託など）
- 借地権
- 知的財産権（著作権、商標権、特許権など）

マイナスの財産（負債、債務）

住宅ローンなどの借金、買掛金、未払金なども相続財産になる

- 借入金、買掛金、未払金（住宅ローン、事業の運転資金、未払家賃など）
- 連帯債務、保証債務
- 損害賠償の債務
- 未払いの税金（所得税、住民税、固定資産税など）

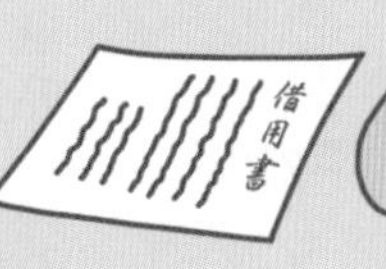

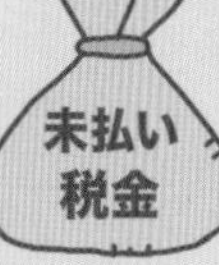

遺産分割されない財産

祭祀にかかわる財産で、遺言などで指定された継承者１人にすべて相続される

- 系譜（家系図）
- 祭具（位牌、仏壇、神棚など）
- 墳墓（墓石、墓碑、遺骨など）

Advice

被相続人が持っていた運転免許や年金受給資格など、その被相続人でなければ成立しないものがあります。こうした権利義務は被相続人一代限りのものとなり、相続財産にはならず、相続人が引き継ぐことはできません。

香典や死亡退職金はどう扱えばいいの？

通夜・葬儀で喪主に贈られる香典は、喪主への贈与とみなされるため、相続財産には含まれません。

また、死亡退職金や遺族年金（加入年金の種類や遺族の条件によって異なる）は、基本的には、受取人である遺族の今後の生活を保障するためのものなので、受取人の固有財産となります。生命保険については、条件によって異なります（→P.68）。

借金は相続しなくてもいい？

Point

プラスの財産よりもマイナスの財産のほうが多い場合には、相続を放棄することができます。

ココを押さえる！

- プラスの財産だけでなく、マイナスの財産についても調査したうえで、相続するかどうかを決める。
- マイナス財産が多いときは、相続開始後3ヵ月以内に相続放棄（または限定承認）を申述できる。
- 相続開始後、何もしないと、単純承認をしたとみなされる。

マイナス財産があることを承知のうえで相続する

相続人は被相続人の財産を相続するかどうか、相続財産の内容を調べたうえで決定します。財産にはプラスのものだけでなく、マイナスのものも含まれます。

マイナスの財産（負債・債務）があるのを承知のうえで、すべての財産や権利を無条件で受け継ぐという場合を単純承認といいます。何の手続きもとらなければ、自動的に単純承認をしたとみなされます。

また、相続する前に相続人が財産を勝手に処分（不動産の売却、家屋の取り壊し、自動車の廃棄、現金消費、預貯金の引き出しなど）してしまったり、故意に財産を隠したりした場合にも、単純承認とみなされてしまうので注意が必要です。

一切の財産を放棄するかプラス財産の範囲で返済するか

マイナスの財産が多く、受け継ぎたいプラスの財産がとくにないという場合には**一切の相続を放棄する相続放棄**という選択もあります。相続放棄をすれば、プラスの財産をもらえない代わりに、借金を返す必要もなくなります。

また、借金の額が明瞭でない、完全に放棄はしたくないが借金は背負いたくないという場合には、**プラスの財産を超えない範囲でマイナスの財産を相続することができる限定承認という方法**もあります。

相続放棄または限定承認の選択をする場合には、**相続の開始後3ヵ月以内に家庭裁判所に申述**しなければなりません。

相続放棄は相続人が複数いても1人でも、単独で申述することができますが、限定承認は相続人全員の合意のもとに申述を行うことが必要です。

また、たとえば配偶者と子が相続放棄をすると、第2順位の父母や第3順位の兄弟姉妹が相続人となります。したがって相続放棄をする場合には、無用のトラブルを避けるために、第1順位から第3順位まですべての**相続人となり得る人が相続放棄の申述をすること**が大切です。

なお、子が相続放棄した場合、相続放棄した子の子（被相続人の孫）が相続人となることはありません。相続放棄によって代襲相続が生じることはないからです。

相続の方法が決まるまでの流れ

相続開始日
（被相続人の死亡もしくは相続人であることを知った日）

↓

相続財産を調査し、財産目録を作成する

Advice
相続の方法を決めるまでの熟慮期間は、相続開始日から3ヵ月間！ もしこの3ヵ月間で結論が出せそうにないというときは、期間終了前に家庭裁判所に申し立てれば、さらに3ヵ月間の猶予をもらうことができます。

単純承認

すべての財産を無条件で相続する

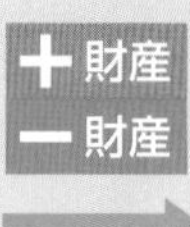

- 何も手続きしない場合
- 財産の全部または一部を処分または消費した場合など

※上記のケースにあてはまると、自動的に単純承認とみなされる。

相続放棄

すべての財産の相続を放棄する

- 3ヵ月以内に、以下の書類を家庭裁判所に提出
  - ・相続放棄申述書
  - ・戸籍謄本など

※相続人が単独で申述できるが、次順位の相続人も放棄することが必要。

限定承認

プラスの財産の範囲内でマイナスの財産を相続する

- 3ヵ月以内に、以下の書類を家庭裁判所に提出
  - ・限定承認申述書
  - ・財産目録（→P.71）

※相続人全員の合意が必要。

被相続人が友人の連帯保証人になっていた！

被相続人が借金をしている場合だけでなく、誰かの保証人となっている場合や、経営していた会社の借入金の連帯保証人となっている場合もあります。

この場合には、**保証人としての義務もマイナスの財産として相続人に受け継がれます。**

会社の借入金の連帯保証はわかりやすいのですが、友人など個人の借入金の連帯保証人になっている場合については、書類が手元に何もないケースも多く、その存在に相続人が気づかないことがありますので、十分な注意が必要です。

Key Word

相続開始日（そうぞくかいしび）

民法では、「相続は、死亡によって開始する」と定められている。「相続開始日」とあれば、「被相続人が亡くなった日、および相続の開始があったことを知った日」となる。自分が相続人であることを知った日ともいえる。

生命保険金も遺産になるの?

Point

生命保険金や死亡退職金は遺産分割の対象外ですが、税務上は、みなし相続財産として相続税の対象となります。

ココを押さえる!

- ☑ 生命保険金は、民法上は受取人固有の財産であり、遺産分割の対象とならない。
- ☑ 生命保険金は、税務上はみなし相続財産となり、相続税の対象となる。
- ☑ みなし相続財産には生命保険金のほか、死亡退職金、功労金などがある。

相続したと"みなされる"ものがある

相続や遺贈によって引き継がれたのではなく、**被相続人の死亡がきっかけとなって相続人のものとなった財産について、税務上は「相続したとみなされる」ものが**あります。それらを**みなし相続財産**といいます。

たとえば、生命保険金や死亡退職金は配偶者など受取人固有の財産であるため、民法上は遺産分割協議の対象にはなりません。しかし、税務上は、みなし相続財産として**相続税の対象**となります。

というのも、生命保険金は、保険契約者(保険を契約した人)と被保険者(保険の対象者)、保険料負担者(保険料を支払っている人)が被相続人で、受取人(保険金を受け取る人)が配偶者などの相続人となっているのが一般的です。つまり、**生命保険金**は「被相続人の死亡によって、受取人に支払われる」となっているため、**支払われた段階で相続財産**とみなされるのです。

では、被相続人が本人以外の誰かを被保険者として保険料を支払っていた場合はどうなるのでしょうか。契約者であり、保険料の負担者であった被相続人が死亡した時点で、**契約そのものが相続されます**。ただし、相続人が契約の継続を望まなければ、契約解除を選択することも可能です。いずれにしても、税務上は解約時に支払われる**解約返戻金相当額が相続財産となります**。

死亡退職金や功労金も相続財産とみなされる

一般的なサラリーマンの場合、在職中に亡くなると、会社から**死亡退職金や功労金が遺族に支払われる**ことがあります。本来であれば退職金は、退職時に支給され、被相続人の財産となるはずだったものです。それが被相続人の死亡によって、代わりにその家族に支払われたものと考えられるため、これも**税務上は被相続人の財産**とみなされます。

なお、生命保険金や死亡退職金は、遺族のその後の生活を守るために支払われる貴重なお金であるという観点から、相続税の計算の際には、一定の非課税枠が設けられています(→P.160)。

生命保険金が相続財産となるケース

ケース1

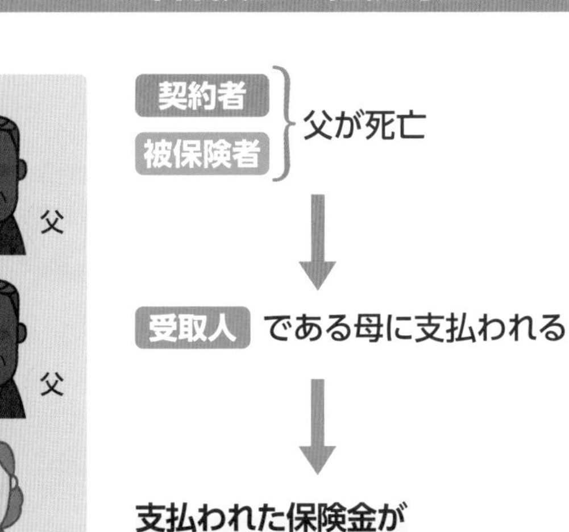

保険金

支払われた保険金が
相続財産とみなされる

ケース2

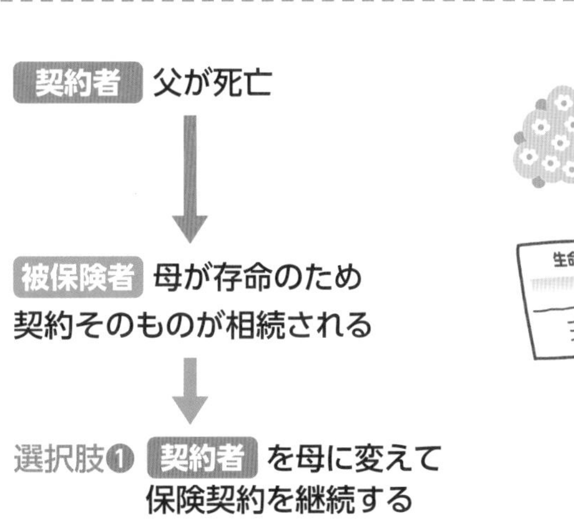

選択肢❷ 契約を解約する

「解約返戻金※」相当額が
相続財産となる

※解約返戻金とは、契約を解約したときに保険会社から契約者へと返されるお金のこと。返戻金の有無や計算方法は、契約内容によって異なる。

弔慰金（ちょういきん）も一定の金額は非課税

死亡退職金とは別に、勤務先から支払われた弔慰金については、その額が常識的な範囲内であれば、相続財産には含みません。

ところが、被相続人の職業、地位、勤続年数などを総合的に鑑みて、その額が「相当金額を超えている」場合には、みなし相続財産として扱います。

●弔慰金の非課税金額の目安

- 業務上の死亡の場合…普通給与（月額）の36ヵ月分
- 業務上の死亡でない場合…普通給与（月額）の6ヵ月分

財産目録はどのようにつくるの？

Point

被相続人が亡くなったら、できるだけ早い段階で、被相続人の財産の内容を調査して財産目録をつくります。

ココを押さえる！

- ☑ 被相続人が亡くなったら、相続財産の調査を開始する。
- ☑ 資産の保管場所について、生前のうちに確認しておくと死亡後の調査がスムーズに進められる。
- ☑ 財産目録は、プラスの財産とマイナスの財産に分けて記載する。

被相続人の財産を洗い出し一覧にしてまとめる

遺産を相続するかどうかを決めるためにも、**相続財産の内容を調査する**ことが必要です。相続開始から3ヵ月以内に相続放棄または限定承認（→P.66）の選択をしなければならないため、できるだけすみやかに調査を開始します。

資産の保管場所について、被相続人の生前に聞いておくことができていればスムーズに調査を進められるのですが、突然の死であったり、被相続人が1人で暮らしていたりした場合には、どんな財産があるのかを把握するだけでも大変です。

そこで、次ページの「財産目録」の項目内容を参考にして、すべての相続財産をもれなく洗い出していきましょう。一般に、被相続人にとって大切なものや貴重なものは厳重に管理されている可能性がありますので、さまざまな保管場所を想定し、確実に見つけ出すようにします。

また、借金などマイナスの財産は、故意に隠されている可能性もありますので、入念な調査を心がけてください。

財産目録はできるだけもれなく記入する

被相続人の財産を調べたら、**プラスの財産（資産）、マイナスの財産（負債・債務）に分けて記録し、財産目録を作成**します。

財産目録としての決まった書式はありませんが、**財産の種類ごとに記載していく**とわかりやすいでしょう。

財産目録は、その後に行われる遺産分割協議（→P.102）や、相続税の計算（第4章→P.123〜）の際に資料として使われるものなので、内容に不備のないようにまとめておくことが必要です。

そして、くれぐれも記載漏れがないようにします。もし分割協議が終わったあとで、新たな財産が見つかった場合には、もう一度、相続人を集めて分割協議をし直さなければならないなど、手間も時間もかかってしまいます。

また、単純承認をしてしまったあとで、被相続人の債務があることがわかると、相続放棄をすることもできなくなってしまうので注意してください。

財産目録の記入例

●プラスの財産

不動産（土地・建物）

不動産の登記簿謄本、固定資産税納税通知書、不動産売買契約書などから所有状況を、土地賃貸契約書などから借地権を確認し、それらの記載どおりに記入する

番号	地目	所在地	面積	評価額	名義	備考（現状）
①	宅地	世田谷区北沢 X丁目X番X号	195.00㎡	5,000万円	被相続人	ローン完済 母が居住
②	居宅	世田谷区北沢 X丁目X番X号	100㎡	1,000万円	被相続人	木造2階建

預貯金

・通帳を見ながら、死亡日（相続開始日）現在の残高を記入する
・手元に保管している現金があるときは、それらも忘れずに記入する

番号	種類	金融機関	口座番号	金額	名義	備考（現状）
①	普通預金	A銀行○×支店	1234567	1,000万円	被相続人	
②	定期預金	B銀行△□支店	0000111	2,000万円	被相続人	

有価証券

近々の取引明細書でまず確認をし、残高証明をとる

番号	種類	取引会社・銘柄	数量	評価額	名義	備考（現状）
①	株式	C証券 ××株式会社	1000株	300万円	被相続人	
②	投資信託	C証券 △△投信	200口	200万円	被相続人	

生命保険等

保険契約証書等を見ながら記入する

番号	種類	保険会社	保険金額	保険掛金	受取人	備考（現状）
①	生命保険	D生命	3,000万円	X円	今日子（母）	契約者は 被相続人

●マイナスの財産

借入金等

ローンの償還表、金銭消費貸借契約書を見ながら記入する

番号	種類	支払先・返済相手	借入総額	残額	備考（現状）
①	借入金	A銀行○×支店	1,000万円	400万円	返済額（毎月）X円 完済予定：20XX年X月
②	未払金	株式会社E	200万円	200万円	支払予定：20XX年X月

銀行口座はどうなるの？

Point

被相続人が亡くなると、正式な手続きが完了するまで被相続人の金融口座は使用できなくなります。

- ☑ 名義人が死亡した金融機関の口座は凍結され、配偶者など家族であってもお金の出し入れはできなくなる。
- ☑ 金融機関の口座の解約や名義変更の手続きのためには、遺産分割協議書、戸籍謄本、相続人の印鑑証明書など、多数の書類が必要となる。
- ☑ 被相続人のクレジットカードは使えなくなる。

被相続人の死亡がわかると金融機関の口座は凍結される

相続財産は、分割されるまでは相続人の共有財産となります。個々の相続人による勝手な使用を防ぐため、各金融機関では預貯金口座の名義人の死亡がわかると、正式な手続きが完了するまで、その**口座を凍結**します。

口座が凍結されると、たとえ配偶者でもお金の出し入れが一切できなくなり、生活費が引き出せず、引き落としで支払いをしていた公共料金の支払いもできなくなるなど、日々の生活に支障をきたします。

凍結された口座の解約や名義変更、払い戻しには、**①被相続人および相続人の戸籍謄本**、**②相続人の印鑑証明書**、**③払い戻し請求書**、**④遺産分割協議書**などさまざまな書類をそろえなくてはなりません。これらの書類を集めるだけでも大変なうえに、すべての手続きが終了するまでに数ヵ月から半年程度かかってしまうことも珍しくありません。

そこで、生前の準備がカギとなります。**葬儀費用や家族の当面の生活費などについては、生命保険金を利用する**とよいでしょう。生命保険金は通常、請求から数日以内に、受取人に支払われるため、現金が必要な場合に役立ちます。

なお、民法の改正により、一定の限度額まで相続人が単独で預金の払い戻しができるようになりました。

被相続人が使っていたクレジットカードはどうなる？

クレジットカードの所有者が死亡した場合、同じカードを相続人が引き継ぐことはできません。クレジットカード会社に死亡したことを連絡し、**カードの解約手続き**を行います。

解約手続きをした段階で、カードの未払い分が口座から引き落とされることはなくなりますが、相続人には支払い義務が生じています。

カードローンで借金をしている場合もあり、これはマイナスの財産として相続の対象となります。相続の際、クレジットカードの使用状況などは見落としがちなので、忘れずにチェックしましょう。

銀行口座にまつわるQ&A

夫名義の口座が凍結されると当面の生活費に困ります。どんな事前対策がありますか？

「夫を被保険者とする生命保険を契約しておく」「夫から妻へ現金を贈与しておく」などして、妻が自由に使える現金を確保しておくとよいでしょう。直前対策としては、夫の口座から現金を引き出しておく方法もあります。その場合は、必ず現金の使いみちを記録し、領収書は保管しておきましょう。

なお、民法改正により、一定の限度額まで、相続人が単独で預金の払い戻しができるようになりました。

口座凍結前に公共料金が引き落とされました。これも単純承認が確定してしまうのですか？

公共料金などの口座引き落としについては、単純承認とはみなされません。そのほか、葬儀費用や入院費などについても、被相続人の口座から支払っても単純承認とみなされない可能性が高いです。

しかし、原則としては、相続財産を処分したり、手をつけたとみなされる行為をすると、相続放棄はできなくなります。相続放棄をする予定なら、被相続人名義の預金については、解約したり引き出したりしないほうがよいでしょう。

銀行はどのように被相続人の死亡を知るのですか？

被相続人の家族が、銀行の窓口で「夫（父母）が亡くなったので、手続きをしたいのだがどうすればよいのか」と聞くことで、銀行側は口座の名義人が死亡したことを知り、口座を凍結するケースが多いと思われます。

役所に死亡届を提出すると銀行口座が凍結される、ということはありません。

相続開始後、口座の凍結前に預金を全額引き出して相続人で分割してもいいのですか？

トラブル防止のため、すべての財産について調べてから、相続人全員で遺産分割協議を行い、遺産を分けるようにします。預金口座が多い場合や相続人の数が多い場合には、代償分割という方法も有効です。預金口座や不動産を相続人のうち1人が相続し、その相続人からほかの相続人へ現金（代償金）を振り込む方法です。

遺産分割協議書には、代償金の金額や支払期限を記載しておきます。それがないと、相続人の間の贈与とみなされ贈与税がかかるからです。

こんなときどうする!?

被相続人が貸金庫を使用していたら…？

被相続人が金融機関の貸金庫を利用していることがあります。貸金庫も預貯金口座と同じように、被相続人が亡くなると、正式な手続きを経なければ開けることができなくなります。

財産調査のために中身を確認する必要があるというときは、次の書類をそろえなければなりません。

- 相続人の戸籍謄本と印鑑証明書
- 全員の署名が入った開扉依頼書　など

貸金庫に大切な資産を保管するのであれば、いずれ相続人となる人（子ら）が契約したものを使うようにしておくと、いざというときに安心です。

相続財産はどう評価すればいいの?

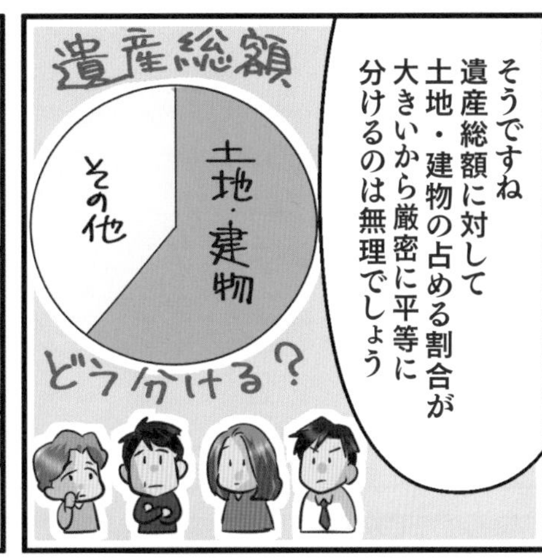
そうですね
遺産総額に対して土地・建物の占める割合が大きいから厳密に平等に分けるのは無理でしょう
遺産総額
土地・建物
その他
どう分ける？

和彦くんの話し方って…

他人事みたいに聞こえるけど気のせいかな？

他人事のつもりはないけど…
いろいろ面倒だし早くすませたいです
揉めるくらいなら俺は相続財産ナシでもいいし

そうなんだ
分割方法はともかく相続そのものにはしっかり向き合ったほうがいいんじゃない
え…？

相続って相を続けるって書くでしょ
相続は本来親が精進する相を子が受け継ぐという意味があるの

お父様は和彦くんに受け取ってほしいものが何かあるんじゃないかな

…そうですかね

財産評価基本通達

●宅地

市街地は路線価方式、郊外や農村部は倍率方式で評価

●家屋

固定資産税評価額で評価
（詳しくは90ページへ）

評価額＝路線価×面積

完成家屋の計算式
評価額＝固定資産税評価額×1.0

上場株式の場合
相続開始日を
基準に
財産評価基本通達
❶相続開始日の最終価格（終値）
❷相続開始日を含む月の最終価格の平均額
❸相続開始日の前月の最終価格の平均額
❹相続開始日の前々月の最終価格の平均額
この中から
もっとも低い
価額を選ぶわ
上場株式は
相続開始日が
基準ですね

先輩
今日は
ありがとう
ございました
こちらこそ
ごちそうさま

和彦くんって…
はい
頭もいいし
勉強熱心で
魅力的だけど
女性と食事するときに
もう少し色気のある
会話ができると
もっと素敵かもね

酔ってる
のかな…
色気…？

ファァ…
女性の扱いは
まだまだの
ようだな
和彦

うるさいっ！
見えてるのか…!?
お
お前…
やはり…!?

財産はどのように評価するの？

Point

財産の評価は、遺産分割協議や相続税の計算に大きくかかわってくるため、正しく行うことが必要です。

ココを押さえる！

- ☑ 相続税は、被相続人の財産を受け継いだ人が納める。
- ☑ 財産の評価は、相続税法と国税庁の財産評価基本通達に基づいて行う。
- ☑ 財産の評価は、財産を相続したとき（相続開始日）の時価による。

課税対象となる相続財産は一定の基準で評価される

被相続人の財産を相続や遺贈によって受け継いだ人は、その財産にかかる相続税を納めなければなりません（相続税の支払いは、遺産総額が相続税の基礎控除額→P.130を超える場合に発生する）。

個々の財産の評価方法は、**財産の種類によって異なり、相続税法と国税庁の財産評価基本通達に基づいて**行います。

たとえば、現金や預貯金は額面そのままに評価されますが、土地には土地の、建物には建物の評価方法がそれぞれ細かく決められています。なかには、美術品や骨董品といった評価がむずかしいものに対する評価方法も決められています。

課税対象の財産が高く評価されれば、それだけ税額は高くなり、逆に評価を低く抑えることができれば、税額は少なくてすむことになります。

財産評価基本通達により相続開始時の時価で計算する

相続税法には、**「相続財産は、原則として、被相続人が亡くなった日（相続開始日）の時価で評価する」**とあります。

時価とは、「不特定多数の人たちのあいだで自由な取引が行われる場合に、通常成立すると認められる価額のことをいいます。つまり、被相続人が購入した当時の価格や潜在的にどれだけ価値があるかといったことにかかわらず、「そのとき、市場に売りに出したら、きちんと売れるであろう価格」と言い換えられます。

ただし、ひと口に時価といっても、さまざまな評価方法があります。そこで国税庁では、**財産評価基本通達**により、土地や家屋、株式などそれぞれの財産特性に応じた価額の評価基準を示しています。相続税や贈与税の申告をする際には、原則的にこの財産評価基本通達に従って財産を評価します。財産評価基本通達は国税庁ホームページで確認できます。

財産評価の中でとくにむずかしいのが、土地の評価と取引相場のない株式（いわゆる自社株）の評価です。土地が複数ある場合や自社株がある場合などは、なるべく早めに税理士に相談したほうがよいでしょう。

財産の種類ごとの評価方法

不動産

●宅地 ➡ P.84

市街地は**路線価方式**で、郊外や農村部は**倍率方式**で評価する。

●家屋 ➡ P.90

固定資産税評価額で評価する。

●借地権 ➡ P.88

自用地としての評価額に**借地権割合をかけて**評価する。

●農地、山林

評価倍率表で評価方法を確認する。

金融資産

●預貯金 ➡ P.80

①普通預金は、**相続時の残高**が評価額となる。
②定期預金は、相続時の残高に、**利子を計算して**評価する。

●公社債 ➡ P.83

それぞれの金融商品に応じた評価方法に基づいて評価する。

●株式 ➡ P.81

①上場株式と②気配相場のある株式は**取引価額**で評価する。
③取引相場のない株式は**会社の規模、株主の区分など**によって評価方法が異なる。

動産

●自動車、家財、美術品、書画・骨董(こっとう)、宝石、貴金属など ➡ P.92

売買実例価額、**精通者意見価格**などを参考に評価する。

プラス1ポイント

遺産分割のための財産評価は公平性が大事

遺産分割協議を円滑に進めるには、相続人の間で各財産の価値についての共通認識が必要です。そこで問題となるのが、相続財産の評価です。

まず、「いつの時点を基準として評価するか」という問題があります。遺産は分割協議後に各相続人に分配されるため、評価時点は被相続人の死亡時よりも、遺産分割時のほうが公平だと考えられます。

次に、「遺産の価値をどのように評価するか」という問題があります。財産評価基本通達に基づく評価は、あくまでも相続税の計算に使うためのものです。たとえば、不動産については、近隣の取引事例や不動産業者の査定をもとに、実際の取引価格で評価するのが公平だと言えます。国土交通省が出している公示価格も参考になります。

株式や公社債など金融資産を評価する

Point

金融資産には、現金や預貯金のほかに株式、公社債などがあり、評価方法はそれぞれ異なります。

ココを押さえる！

- ☑ 預貯金は、相続開始日の残高が評価額となる。
- ☑ 株式は上場株式、気配相場等のある株式、取引相場のない株式の3種類あり、それぞれ異なった方法で評価する。
- ☑ 公社債（国債・地方債・社債）の評価は、債券の種類によって異なる。

普通預金と定期預金は評価方法が異なる

金融資産には現金、預貯金、有価証券（株式や公社債）などがあります。

現金は相続開始日に自宅や事務所の金庫、銀行の貸金庫などにある手元現金を計上します。

預貯金については、**普通預金（通常貯金）**であれば、**相続開始日の残高がそのまま評価額**となります。通帳を見て確認するとともに、その金融機関から残高証明書を交付してもらいます。

定期預金（定期貯金）については、相続開始日の残高に、相続開始日に解約したとして得られる**利息分**（既経過利息から源泉徴収額を差し引いた額）**を加えた金額で評価**します。

株式は3種類に分けられそれぞれ評価方法が異なる

株式は取引相場のある上場株式か、上場はしていないが取引されている株式か、取引相場のない株式かによって評価方法が異なります。

上場株式とは、証券取引所などの市場に登録されていて、取引ができる株式のことです。原則として、**相続開始日の終値で評価**します。ただし、株価は社会情勢などの影響を受けやすいことから、左ページに挙げる4つの価額のうちもっとも低い価額で評価します。

上場されていない株式（気配相場等のある株式）のうち、日本証券業協会の指定する登録銘柄や店頭管理銘柄、公開途上にある株式については上場株式同様、**取引価格で評価**します。

取引相場のない株式は、相続によって株を取得した株主が経営支配力を持つ同族株主かそうでないか、さらには会社の規模に応じて、それぞれ異なる方法で評価します。取引相場のない株式については、評価方法が複雑なので税理士に任せるのが確実です。

また、貸付信託や証券投資信託については、83ページの方法で評価します。株式や投資信託などは、各金融機関へ相続開始日現在の残高証明書の発行を依頼します。

上場株式の評価方法

9月10日に亡くなったAさんの場合

Point!

☑ 死亡日である9月10日が相続開始日となる。
☑ 次の❶～❹の4つの価額を比較し、その中の最低価額を選ぶ。

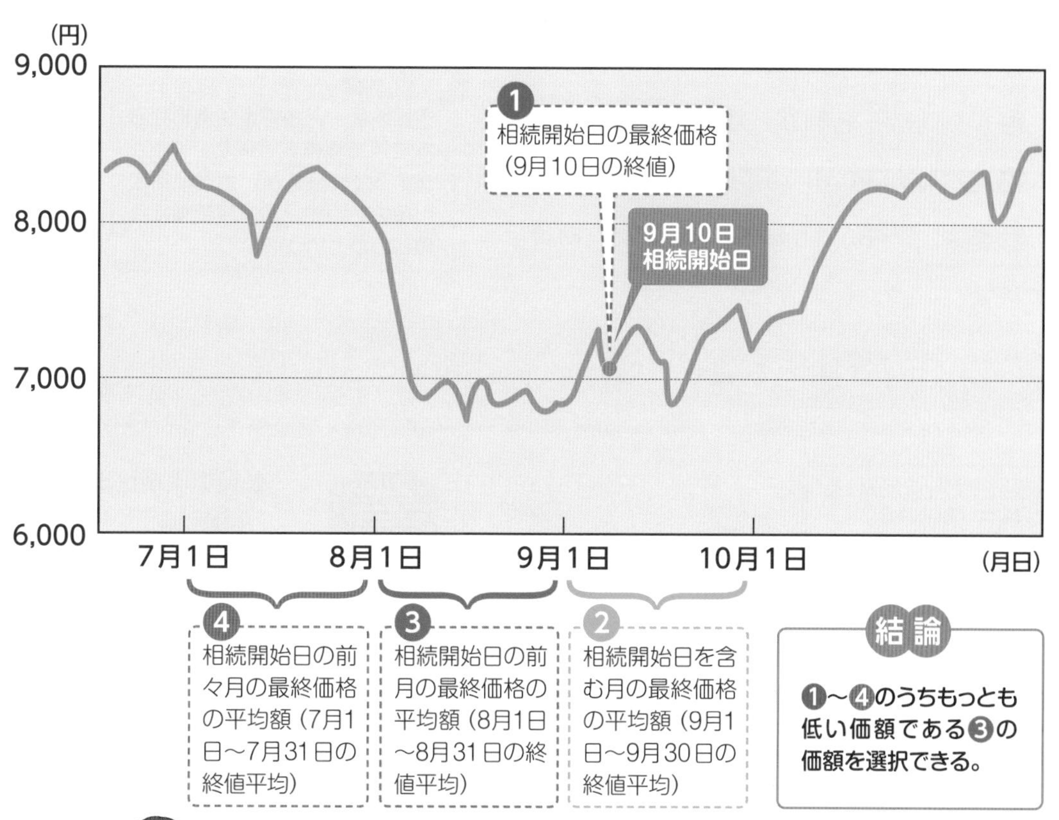

結論
❶～❹のうちもっとも低い価額である❸の価額を選択できる。

プラス1ポイント

残高証明書の発行を依頼するときは「相続開始日現在」のもので!

金融機関に残高証明書の発行を依頼する際には、必ず「相続開始日現在」の残高証明書を依頼しましょう。定期預金などについては、既経過利息（源泉徴収後）の金額も記載してもらうように依頼します。上場株式については、相続開始日の価格だけを記載する金融機関と、親切に4つの価額を記載してくれる金融機関があります。

また最近は、インターネット銀行や証券会社に口座を持つ人も増えています。この場合、WebとEメールで金融機関とやりとりしているため、預金通帳もなく、取引明細書も郵送されてきません。そこで、被相続人が使っていたパソコンの中身も見て口座の有無を確認し、残高証明書を依頼しましょう。

Key Word

既経過利息（きけいかりそく）

預貯金を解約したときに支払われる利息のこと。この利子には、源泉所得税と復興特別所得税と住民税が発生するため、評価の際には、この源泉税相当額を差し引いた金額となる。

上場株式以外の評価方法

気配相場等のある株式　日本証券業協会の登録銘柄や店頭管理銘柄、公開途上にある株式のこと

(1) 登録銘柄や店頭管理銘柄の場合

日本証券業協会の公表する相続開始日の取引価格をもとに評価する。次の４つの株価をチェックし、その中の最低価格を選ぶ。

❶ 相続開始日の最終価格

❷ 相続開始日を含む月の最終価格の平均額

❸ 相続開始日の前月の最終価格の平均額

❹ 相続開始日の前々月の最終価格の平均額

(2) 公開途上にある株式の場合

上場または登録に際して、株式の公開または売出しが行われる場合における公開価格で評価する。

Advice

登録銘柄・店頭管理銘柄の評価方法は上場株式と同じ。チェックする公表価格が、金融商品取引所のものか、日本証券業協会のものかという違いです。

取引相場のない株式　上場株式、気配相場等のある株式以外の株式のこと。株主の地位、会社の規模などにより、評価方式が異なる

❶ 経営支配力のある株主（同族株主）

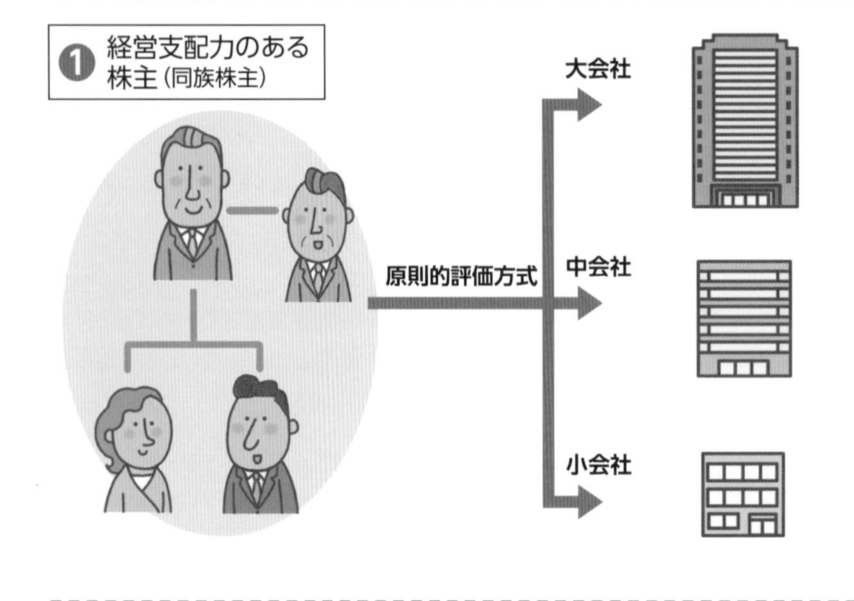

●類似業種比準価額方式
同業他社の平均株価に同業他社と評価会社の1株当たりの配当金額、年利益金額、純資産価額を比準して評価する。

●併用方式
会社の規模によって、類似業種比準価額方式と純資産価額方式の価額を折衷して評価する。

●純資産価額方式
相続開始時に会社を清算したと仮定したときに、株主に分配される手取り額をもとに評価する。

❷ 少数株主

特例的評価方式

●配当還元方式
２年間の配当金額をもとに評価する。

公社債と貸付信託・証券投資信託の評価方法

公社債

●利付公社債

券面に利札の付いている債券。利払いは、
その利札を切り取って行う。

❶ 上場されている銘柄

評価額 $=\{最終価格+(既経過利息-源泉税相当額)\}\times\dfrac{券面額}{100円}$

❷ 売買参考値が公表されている銘柄

評価額 $=\{平均値+(既経過利息-源泉税相当額)\}\times\dfrac{券面額}{100円}$

●割引公社債

券面額を下回る価額で発行される債券。
券面額と発行価額との差額が利子に相当する。

❶ 上場されている銘柄

評価額 $=最終価格\times\dfrac{券面額}{100円}$

❷ 売買参考値が公表されている銘柄

評価額 $=平均値\times\dfrac{券面額}{100円}$

貸付信託・証券投資信託

●貸付信託受益証券

信託財産を運用して得た利益を受け取る権利を示した有価証券。その証券を発行した信託銀行などが、相続開始日に買い取るとした場合の買取価格が評価額となる。

評価額 ＝元本の額＋(既経過収益の額 － 源泉税相当額)－買取割引料

●証券投資信託受益証券

投資信託会社が運用して得た利益を受け取る権利を示した有価証券。相続開始日に解約請求または買取請求を行ったとした場合に、信託会社などから支払いを受けることができる価額により評価する。

❶ 日々決算型の証券投資信託の場合
（中期国債ファンドや MMF など）

評価額 ＝1口当たりの基準価格×口数＋未収分配金
－解約請求した場合の源泉税相当額－解約手数料

❷ ❶以外の証券投資信託の場合

評価額 ＝1口当たりの基準価格×口数－解約請求した場合の源泉税相当額
－解約手数料

宅地は路線価か倍率で評価する

Point

宅地の評価方法には、路線価を使って算出する方式と、固定資産税評価額を基準に算出する方式があります。

ココを押さえる！

- ☑ 宅地の評価方法には、路線価方式と倍率方式がある。
- ☑ 路線価方式では、道路に対して付された路線価を使って評価額を算出する。
- ☑ 路線価がない地域では、固定資産税評価額を基準にして評価額を算出する倍率方式を用いる。

道路に付された路線価によって評価する路線価方式

相続財産の中でも大きな割合を占めている**土地は、どのような用途（宅地、田、畑、山林、雑種地など）で使われているか**によって評価方法が異なります。

ここでは、**宅地の評価方法**について詳しく見ていきます。宅地とは、住居や事務所など建物の敷地となっている土地のことで、**路線価**（ろせんか）**方式または倍率方式**によって評価額を計算します。どちらの方式で評価するかについては、評価倍率表で確認できます。

評価対象の宅地が、路線価方式により評価すると記されている地域にあれば、まずその宅地が接している道路の**路線価（道路ごとに定められた1㎡当たりの評価額）**を確認します。

その年の路線価は、国税庁より毎年7月に公表される**路線価図（路線価が1000円単位で記載された地図）で調べる**ことができます。対象となる宅地の路線価がわかったら、その路線価に宅地の面積をかけることによって評価額を算出します。このとき、宅地の形状、位置、道路との関係、利用価値などを考慮し、評価額に補正（→P.86）を加えます。

また、この路線価の金額には、借地権割合（→P.88）も設定されています。土地を貸したり、借りたりしている場合には、路線価図上に付記された借地権割合を考慮して評価します。

路線価の付いていない土地は倍率方式で評価する

市街地は路線価方式によって評価しますが、地価の差の少ない郊外や農村部などの路線価が付いていないところでは、倍率方式を用います。

倍率方式では、**固定資産税評価額に、国税庁が地域ごとに定めた評価倍率をかけて算出した金額**で評価します。

固定資産税評価額とは、各市区町村が土地や建物に対して固定資産税を課税するための基礎となる価格（3年ごとに見直し）のことで、各市区町村により決定され、固定資産税課税台帳に登録されています。

なお、路線価図や評価倍率表は、国税庁のホームページで見ることができます。

路線価図の見方

評価額 ＝路線価（千円／㎡）×宅地面積

Advice
路線価方式では、路線価に宅地の面積をかけて評価額を算出します。

路線価図の年度およびページ

各路線価に付されているA～Gの記号に対応する借地権割合を示す

土地はおもな使用用途により、7つの地区区分に分類される。補正率や加算率にかかわる

記号	借地権割合	記号	借地権割合
A	90%	E	50%
B	80%	F	40%
C	70%	G	30%
D	60%		

3
69018

ビル街地区	高度商業地区	繁華街地区	普通商業・併用住宅地区	中小工場地区	大工場地区	普通住宅地区
道路を中心として全域	全地域	南側道路沿い	全地域	北側道路沿い 南側全地域	南側全地域	無印は全地域
北側全地域	道路沿い	南側全地域	北側全地域 南側道路沿い	北側道路沿い	北側全地域	

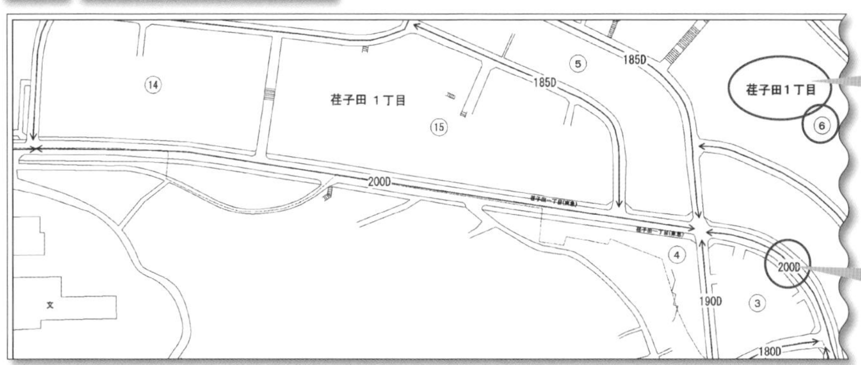

町名や丁目、街区番号など

1㎡当たりの価額を千円単位で表示。「200D」は「1㎡当たり200,000円、借地権割合60%」という意味になる

評価倍率表の見方

評価額 ＝宅地の固定資産税評価額×倍率

Advice
路線価のない土地は、固定資産税評価額に定められている評価倍率をかけて算出します。

その町全域が対象であることを示す

この地域が路線価方式により評価する地域であることを示す

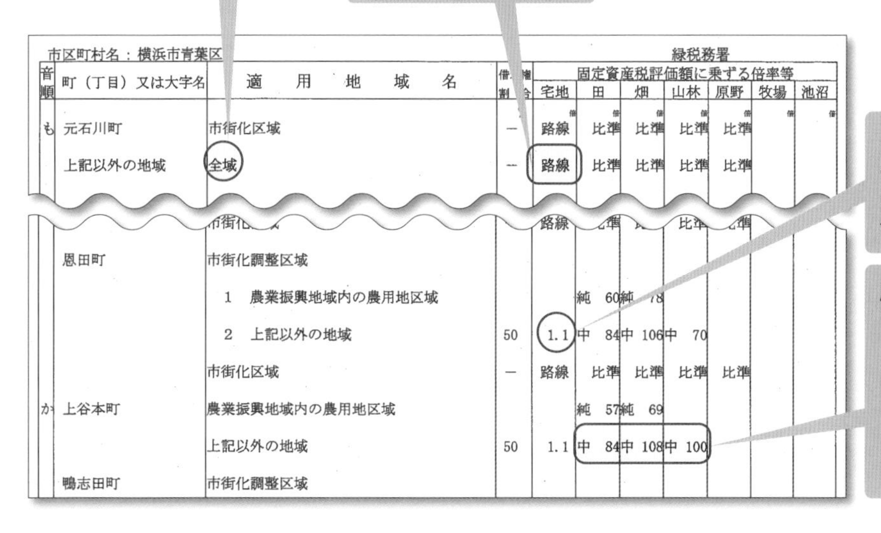

市区町村名：横浜市青葉区　　緑税務署

音順	町（丁目）又は大字名	適用地域名	借地権割合	宅地	田	畑	山林	原野	牧場	池沼
も	元石川町	市街化区域	—	路線	比準	比準	比準	比準		
	上記以外の地域	全域	—	路線	比準	比準	比準	比準		
		市街化		路線			比準			
	恩田町	市街化調整区域								
		1　農業振興地域内の農用地区域			純 60	純 78				
		2　上記以外の地域	50	1.1	中 84	中 106	中 70			
		市街化区域	—	路線	比準	比準	比準	比準		
か	上谷本町	農業振興地域内の農用地区域			純 57	純 69				
		上記以外の地域	50	1.1	中 84	中 108	中 100			
	鴨志田町	市街化調整区域								

この地域が倍率方式により評価する地域であることを示す。この場合、1.1が倍率を表す

農地の分類等を示す
「純」…純農地
「中」…中間農地
「周比準」…市街地周辺農地
「比準または市比準」…市街地農地

路線価方式の土地評価補正について

Advice

宅地は、その形状、道路との接地面、道路からの距離などによって使い勝手を考慮して評価されます。それぞれの補正率は、国税庁のホームページで確認できます。

❶ 1方向のみが道路に面する宅地の場合

道路からの奥行距離による利便性を考慮して、地区区分ごとに補正率が定められている。これを奥行価格補正率という。

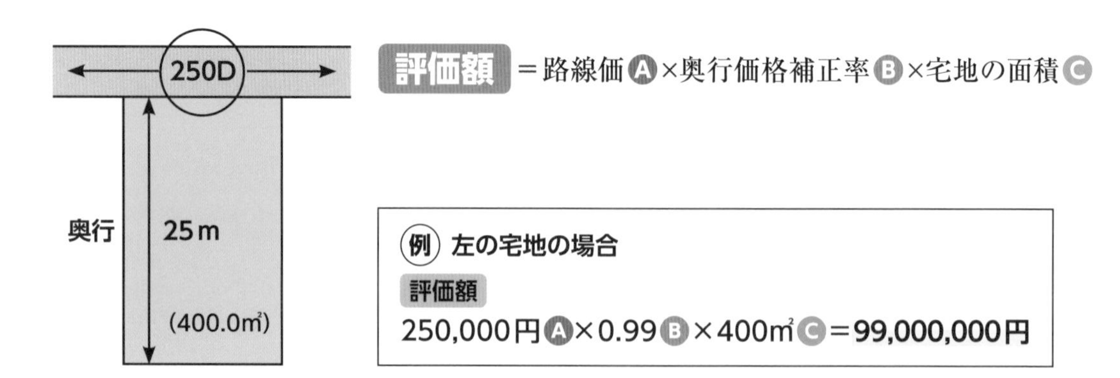

評価額 ＝路線価Ⓐ×奥行価格補正率Ⓑ×宅地の面積Ⓒ

㊀ 左の宅地の場合

評価額

250,000円Ⓐ×0.99Ⓑ×400㎡Ⓒ＝**99,000,000円**

❷ 2方向（正面・側方）が道路に面する角地の場合

宅地が正面と側方で道路に接している場合は利便性がよいと考えられ、評価額が加算される。評価額（路線価×奥行価格補正率）の高いほうが「正面」となり、もう一方が「側方」となる。

評価額 ＝{(正面の路線価Ⓐ×奥行価格補正率Ⓑ)
＋(側方の路線価Ⓒ×奥行価格補正率Ⓓ×側方路線影響加算率Ⓔ)}
×土地の面積Ⓕ

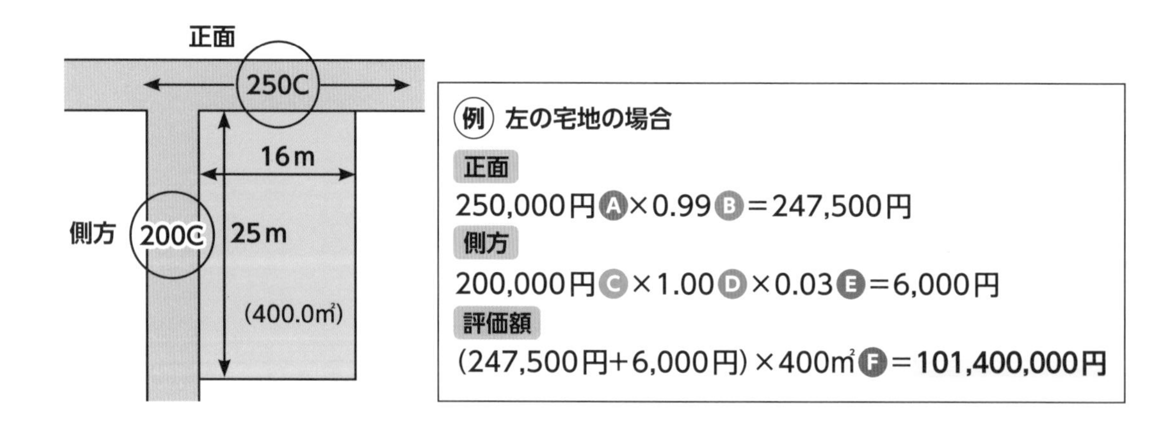

㊀ 左の宅地の場合

正面

250,000円Ⓐ×0.99Ⓑ＝247,500円

側方

200,000円Ⓒ×1.00Ⓓ×0.03Ⓔ＝6,000円

評価額

(247,500円+6,000円)×400㎡Ⓕ＝**101,400,000円**

③ 2方向（正面・裏面）が道路に面する宅地の場合

宅地が正面と裏面で道路に接している場合には、利便性がよいと考えられ、評価額が加算される。評価額（路線価×奥行価格補正率）の高いほうが「正面」となり、もう一方が「裏面」となる。

評価額 ＝{（正面の路線価Ⓐ×奥行価格補正率Ⓑ）
＋（裏面の路線価Ⓒ×奥行価格補正率Ⓑ×二方路線影響加算率Ⓓ）}
×土地の面積Ⓔ

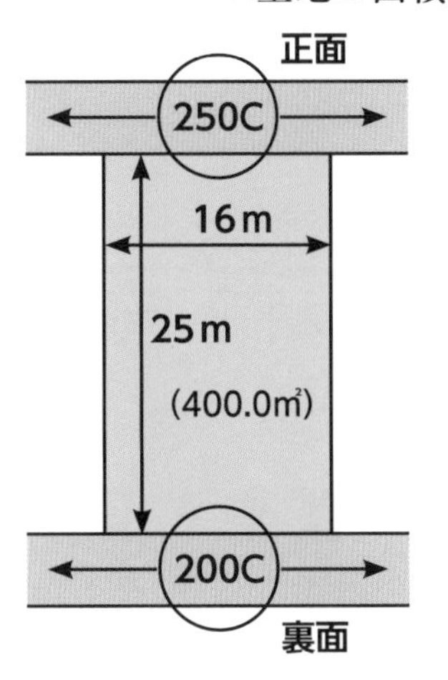

例 左の宅地の場合

正面	250,000円Ⓐ×0.99Ⓑ＝247,500円
裏面	200,000円Ⓒ×0.99Ⓑ×0.02Ⓓ＝3,960円
評価額	(247,500円＋3,960円)×400㎡Ⓔ＝**100,584,000円**

④ 間口が狭い宅地の場合

宅地が路線と接している間口が狭い場合、利用価値が下がると考えられ、評価額は低くなる。

評価額 ＝路線価Ⓐ×奥行価格補正率Ⓑ
×間口狭小補正率Ⓒ
×宅地の面積Ⓓ

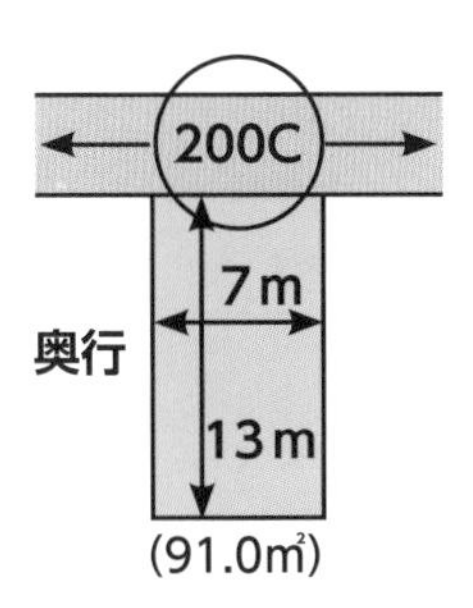

例 上の宅地の場合

評価額
200,000円Ⓐ×1.00Ⓑ
×0.97Ⓒ×91㎡Ⓓ
＝**17,654,000円**

⑤ 奥行が長い宅地の場合

間口のわりに奥行が長い宅地は、奥行が長くなるほど評価額が低くなる。

評価額 ＝路線価Ⓐ×奥行価格補正率Ⓑ
×奥行長大補正率Ⓒ
×宅地の面積Ⓓ

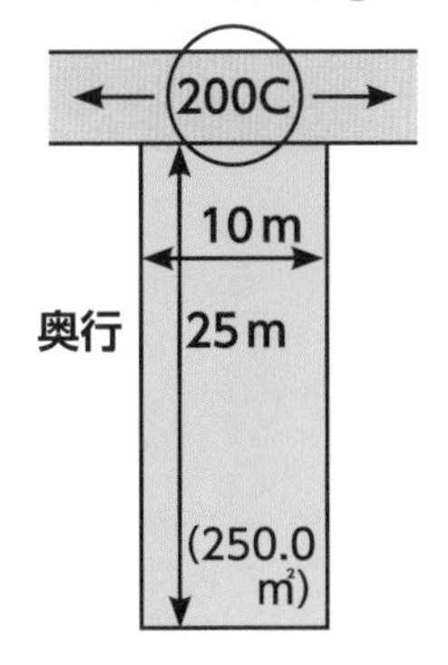

例 上の宅地の場合

評価額
200,000円Ⓐ×0.99Ⓑ
×0.98Ⓒ×250㎡Ⓓ
＝**48,510,000円**

借地と貸地はどう評価するの？

Point

借りた土地に建てた建物や人に貸した土地は、その土地や土地に対する権利も相続財産となります。

ココを押さえる！

- ☑ 借りた土地に建物を建てて所有する場合、借主が持っている借地権も相続の対象となり評価される。
- ☑ 借地権には、通常の借地権、定期借地権がある。
- ☑ 貸家建付地や貸宅地は、借地権割合、借家権割合などを差し引いて評価する。

借地権は3つに分けられ相続財産の対象となる

土地の評価は、その利用形態によって異なります。利用形態には、自用地（自分のために使用している宅地）、借地、貸家建付地、貸宅地などがあります。

まず借地、つまり人から借りている土地の評価について見ていきます。土地を有償で借りると、その土地に借地権が発生します。

借地権とは、建物の所有を目的として土地を借りているときの、**地主に対する借主の権利（地上権または土地の賃借権）**のことで、相続財産となります。

借地権は借地借家法※により、**通常の借地権**、契約期間が決まっている**定期借地権等（事業用定期借地権、建物譲渡特約付借地権）**、**一時使用目的の借地権**の大きく3つに分類して評価されます。

通常の借地権は、たとえ借主が亡くなっても契約は更新されるため、半永久的に借り続けることが可能な権利となります（ただし、名義変更は必要です）。

借地権の価額は、借地権の目的となっている土地の**自用地としての評価額に借地権割合をかけて算出**します。

借地権割合は、地域の状況や地価に応じて定められており、前項目で紹介した路線価図や評価倍率表に記載されています。

人に貸している土地は自用地よりも評価が低くなる

では、人に家屋や土地を貸している場合はどうでしょう。

宅地に家屋を建てて人に貸している場合、その土地を貸家建付地といいます。貸している家屋には借家権（借主の権利）があるため、貸主の都合で処分したり、利用したりすることができません。そのため評価額は借地権割合や借家権割合を考慮して求めます。当然、自用地よりも低くなります。

また、**貸宅地（貸家）とは、人に貸している宅地のこと**で、借主が宅地に対して有する借地権や定期借地権などの権利に応じて評価されます。貸家建付地と同じく、貸宅地は貸主の権利が制限されるため、借地権割合を考慮して評価され、自用地よりも低い評価額となります。

借地権、貸宅地、貸家建付地の評価方法

例 自用地としての評価額：3,000万円　借地権割合：70%

貸している場合

① 貸家建付地

評価額 =自用地としての評価額Ⓐ×（1－借地権割合Ⓑ×借家権割合Ⓒ×賃貸割合Ⓓ）

※賃貸割合は、すべて賃貸している場合は100%

計算例 3,000万円Ⓐ×（1－70%Ⓑ×30%Ⓒ×100%Ⓓ）＝2,370万円

② 貸宅地

評価額 =自用地としての評価額Ⓐ×（1－借地権割合Ⓑ）

計算例 3,000万円Ⓐ×（1－70%Ⓑ）＝900万円

借りている場合

① 借地権

評価額 =自用地としての評価額Ⓐ×借地権割合Ⓑ

計算例 3,000万円Ⓐ×70%Ⓑ＝2,100万円

② 定期借地権

評価額 =自用地としての評価額Ⓐ×定期借地権割合Ⓑ×定期借地権の逓減率Ⓒ

計算例 3,000万円Ⓐ×0.278Ⓑ×0.825Ⓒ＝6,880,500円

Advice
定期借地権は、期限が決まっている借地権のことで、期間満了時に更地にして返すものをいいます。

Advice
土地を無償で借りたり貸したりしている場合は、借地・貸地としてではなく、自用地として評価します。

借地借家法

借地と建物賃貸借にかかる契約について特別に定めた法律のこと。土地や建物の賃貸人に比べて立場も弱く、経済的にも不利がある賃借人を保護するために、民法の規定を修正し制定されたもの。

家屋はどのように評価するの？

Point

家屋（建物）は、固定資産税評価額がそのまま評価額となります。また、貸家になると評価額は下がります。

ココを押さえる！

- ☑ 家屋は、固定資産税評価額に基づいて評価する。
- ☑ 貸家は、借家権割合と賃貸割合を掛けたものを差し引いて評価する。
- ☑ 電気設備、ガス設備など家屋に付属する設備は、大きく3つに分けて評価する。

家屋は固定資産税評価額で評価し付属設備もあわせて評価する

居住用や事業用として自分で使用している家屋（自用家屋）の評価は、家屋の**固定資産税評価額に一定の倍率をかけて求めます。倍率は1.0**なので、固定資産税評価額そのものが相続税評価額となります。

相続発生時に建築途中の家屋は、まだ固定資産税の評価額がついていないため、**その家屋に支払われた費用原価の70％の金額で評価**します。

新築して間もない家屋で、まだ固定資産税評価額がついていないものについては、類似した家屋の固定資産税評価額を基準に評価します。

また、家屋の**付属設備**については、次の3つに区分して評価します。

①電気設備、ガス設備、衛生設備などは、家屋の評価額に含めて評価します。

②門、塀などは、再建築価額から経過年数に応じて減少した価額を差し引いた金額に70％をかけて評価します。

③庭木、庭石などは、課税時期の調達価額に70％をかけて評価します。

貸している家屋や建物は自分用よりも評価が下がる

貸家は、賃借人に一定の権利があるため、**その家屋の固定資産税評価額から、借主の持つ借家権割合を差し引いて評価**します。**借家権割合は全国一律30％**なので、貸家の評価額は、自用家屋の評価額の70％相当額となります。

アパートやマンションなどは、全室数のうち、課税時期において何室を賃貸しているか（賃貸割合）も考慮して評価します。

具体的には、固定資産税評価額から、借家権割合（30％）と賃貸割合（賃貸されている各独立部分の床面積の合計÷家屋の各独立部分の床面積の合計）をかけたものを差し引いて評価します。

無償で貸している場合（使用貸借）は、貸家としては評価されず、自用家屋として評価します。

なお、貸主は借家権割合を差し引いて貸家を評価しますが、借主については、借家権を相続財産として評価する必要はありません。

家屋（建物）の評価方法

自用家屋の場合

① 原則

評価額 ＝固定資産税評価額×1.0

固定資産税評価額がそのまま相続時の評価額になる！

② 建築中の家屋

評価額 ＝費用原価の額×70%

固定資産税の評価額がついていないので、費用原価（建築費用等）の70%に相当する額で評価する！

Advice
費用原価は、相続開始時までに費やされた建築材料費や施工費などを合計したもの。建築を依頼した建築業者などで費用明細として算出してもらえます。

貸家の場合

③ 人に貸している家屋（アパートや貸家など）

評価額 ＝固定資産税評価額×（1－借家権割合※1×賃貸割合※2）

※1 借家権割合＝全国一律30%。
※2 賃貸割合＝賃貸されている各独立部分の床面積の合計÷家屋の各独立部分の床面積の合計

例 家屋の固定資産税評価額：1,000万円
借家権割合：30%　賃貸割合：100%

計算例 1,000万円×（1－0.3×1.0）
＝700万円

固定資産税評価額
借家人の持分 30%
貸主の持分 70%

プラス1ポイント

家屋の付属設備等は3つに分類して評価する

家屋の付属設備については、家屋と一体となっているもの以外は、その設備を新たに建築した場合の費用額（再建築価額）や新たに調達した場合の価額（調達価額）などを調べたうえで評価額を計算することが必要となります。

①家屋と構造上一体となっている設備
電気設備、ガス設備、衛生設備、給排水設備、温湿度調整設備、消火設備、避雷針設備、昇降設備、塵かい（ごみ）処理設備など
⇒家屋の価額に含めて評価する

②門、塀などの設備
門、塀、外井戸、屋外の塵かい（ごみ）処理設備など
⇒評価額＝（再建築価額－経過年数に応じた減価償却費）×70%

③庭園設備
庭木、庭石、あずまや、庭池など
⇒評価額＝調達価額×70%

そのほかの財産の評価方法を知る

Point

ゴルフ会員権や書画骨董、家財などの財産も、専門家の評価額を参考にもれなく評価します。

ココを押さえる！

- ☑ 美術品（書画骨董）は、売買実例価額や精通者意見価格などを参考に評価する。
- ☑ 自動車や家財などの一般動産も、同様に評価する。
- ☑ ゴルフ会員権やリゾート会員権は、原則として取引価格の70％で評価する。

趣味や嗜好に関するものも相続財産として評価される

美術品（書画・骨董）、盆栽、宝石、貴金属など、被相続人の趣味・嗜好に関するものも相続財産となり、いずれも相続の対象となります。

通常は、**同様の商品が市場で売買されるときの価格（売買実例価額）や、専門家に鑑定してもらった価格（精通者意見価格）などを参考にして評価**します。

また、自動車や家財などの一般動産についても、売買実例価額や精通者意見価格などが参考になります。価格がわからない場合は、同じ商品の新品の価格から、減価償却費相当額を控除した額で評価するという方法もあります。

これらの財産は1つずつ評価するのが原則ではありますが、1つ5万円以下のものは「家財道具一式」など、ある程度まとめて評価することも認められています。

ゴルフ会員権は取引相場の有無によって評価が異なる

ゴルフ会員権は、取引相場の有無によって評価方法が異なります。

取引相場のあるゴルフ会員権は、原則として**相続開始日の取引価格の70％相当額**で評価します。ただし、取引価格に含まれない預託金※がある場合は、その分を加算するなどして調整します。

取引相場のないゴルフ会員権は、次の3つのパターンに分けて評価します。

①株主でなければ会員となれない会員権は、**株式の価額**で評価します。

②株主であり、かつ預託金を支払わなければ会員になれない会員権は、**株式の価額に預託金を加算**して評価します。

③預託金を支払わなければ会員になれない会員権は、**預託金の額**で評価します。

なお、取引相場がなく、株式の所有も必要としない、いわばゴルフ施設を利用してプレーできるだけといった性質の会員権は、相続税の対象とはなりません。

また、**リゾート会員権**についても、ゴルフ会員権と同じように**取引価格の70％相当額**で評価するのが一般的です。

そのほかの財産の評価方法

家庭用財産

①自動車

相続開始日の時価で評価する。
(A)**中古車買取り業者の査定価格**を参考にする。
(B)**実際の売却価格**を参考にする。
(C)相続開始日の新品価格から**減価償却相当額を控除**する。

②家財道具

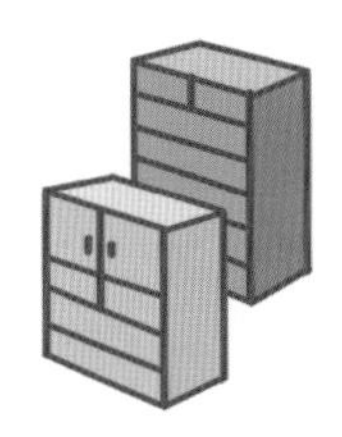

原則として、**1個または1組ごとに評価**する。
ただし、5万円以下のものは一括して「家財道具一式」として評価することができる。

美術品・書画・骨董など

売買実例価額や**精通者意見価格**を参考にして評価する。

そのほか

①ゴルフ会員権・リゾート会員権
取引価格の70%相当額で評価する。

②電話加入権
電話取扱局ごとに国税局長の定める**標準価額**で評価する。

もしも被相続人が海外に財産を持っていたら?

被相続人の国外にある財産や外貨建てによる財産も、基本的には相続財産に含まれます。なお財産は、相続時の時価で日本円に換算した額で評価します。つまり、海外資産は現地価格で算出したあとで、日本円に換算しなければなりません。

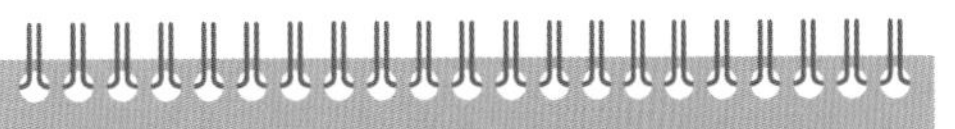

Key Word

預託金(よたくきん)

会員権購入の際に預託金が必要なところがある。預託金とは、保証金の一種で、一定期間が過ぎれば返還請求できる。ゴルフ会員権等を相続すると、預託金の返還請求権も相続人に移行する。

質問者Bさん

Q アパートを建築して賃貸すると、相続税が安くなるって本当ですか？

父親が現金２億円と評価１億円の土地（200㎡）をもっているのですが、それならば現金をもっているより、アパートを建てたほうが相続税の節税になると聞きました。それは本当ですか？　また、所有する土地の上に建物を建てた場合と建てない場合では、相続税評価額にどれくらい差が出ますか？

A 確かにアパートの建築により、相続税は安くなります

理由は、主に４つあります。

理由１：**アパートの建築費用の約60%程度が相続税の計算に使うおおよその固定資産税評価額**となり、現金でもっているより40～50%低くなります。

理由２：賃貸することにより、**固定資産税評価額から借家権を控除**することができます。**借家権は３割**です（→P.159）。たとえば、固定資産税評価額が5,000万円だとすると、３割相当額である1,500万円を控除することができます。

理由３：そのアパートの土地は貸家建付地となり、**更地のままにしておくよりも評価は下がります**（→P.159）。

理由４：アパートを建てた土地は要件を満たせば、**小規模宅地等の特例**（→P.156）に該当し、**土地のうち200㎡までは50%の減額を適用**することができます。

Ｂさんのケースを見てみましょう。

> **1.アパート建築前の相続財産**
> 現金２億円　土地の更地評価１億円
> **2.現金１億円で木造アパートを建築した場合**
> （借地権割合60%、建物の評価率0.6と仮定）

［計算方法］

1 現金がマイナス１億円となります。

2 アパートの評価額は、**固定資産税評価額×建物の評価率×（1-借家権割合）**で計算されます。

　アパートの評価額：１億円×0.6×（1－0.3）＝4,200万円

3 土地の評価は、貸家建付地評価となります。**更地評価額×（1-借地権割合×借家権割合）**で計算します。

　土地の評価額：１億円×（1－0.6×0.3）＝8,200万円

4 小規模宅地等の特例の要件に該当する場合、土地の評価額を**上記③の評価額×小規模宅地等の減額割合**となります。今回は貸付事業用宅地なので、減額割合は50%です。

　土地の評価額（特例適用後）：8,200万円×0.5＝4,100万円

したがって評価額の合計は、

　現金１億円＋アパート4,200万円＋土地4,100万＝１億8,300万円

となります。アパート建築前の３億円から約１億8,300万円に下がり、４割強の減額となりました。アパート経営には空室リスクなどが伴いますので、そうしたポイントも考慮したうえで判断してください。

第3章

財産を分ける ルールを知る

Section1

遺産を分割するためには、どうする？

- 遺産分割は話し合いで決める
- 未成年者は協議に参加できないの？
- 生前に受けた援助や貢献分はどうなるの？
- 住んでいる家や土地はどうやって分けるの？
- 事業や農地を引き継ぐときは？

Section2

分割協議が成立したら……やるべきことは？

- 遺産分割協議書を作成する
- 相続財産の名義を変更する
- 被相続人の確定申告をする

遺産分割……うまくまとまるだろうか？

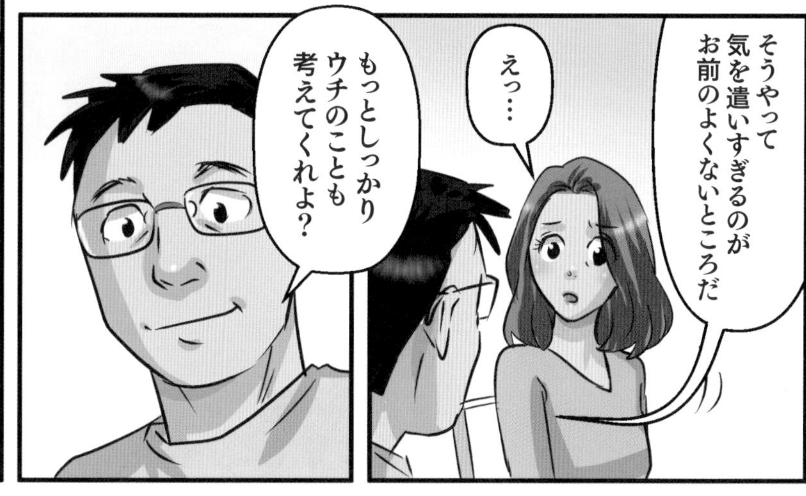

①自宅の土地：8,000万円
　自宅の建物：400万円
②預貯金・株：3,700万円
③生命保険：3,000万円
※住宅ローンは完済、ほかの債務はなし。葬式費用100万円。

生命保険金は
母さんのものだから
そもそも分割の
対象からは外れる
残りの金額を
単純に合計して
法定相続分で
分けるとこうなる
生保
遺産総額の1/2
遺産総額の1/6ずつ
相続財産の総額：1億2,000万円
（葬式費用100万円分を差し引いた額）
母・裕子6,000万円
長男・智宏：2,000万円
長女・やよい：2,000万円
次男・和彦：2,000万円
母さんが½
俺たち3人が
⅙ずつか…

ちなみに特別受益や
寄与分を考慮する
ケースもある
特別受益
生前に被相続人からまとまった額の財産をもらっていた場合、その援助分を考慮して相続分から差し引くこと。
寄与分
被相続人の財産の維持・増加に貢献していた場合、その貢献に応じて相続分を上乗せすること。
特別受益には
結婚時の持参金や
学費・住宅取得などの
ための援助金などが
当てはまるな

母さん
あの資料を
出して
ええっと…
ガサ
ガサ

智宏とやよいには
結婚資金で
200万円ずつ
結婚資金
200万
マイホーム資金
500万
留学費
100万円
さらにやよいには
マイホーム購入で
500万円
和彦には留学費用で
100万円
それぞれ
援助しているね

それぞれの金額だけ
相続分から
差し引くってこと？
みんなが認めれば
必ずしも特別受益
として差し引く
必要はないよ

①現物分割

「土地・建物は配偶者が、預貯金は長男が…」など、個々の財産を各相続人が相続する。

②換価分割

土地・建物などを売却し、現金化して分割。

③代償分割

土地・建物などを相続した人が、ほかの相続人に相続分の差額を現金で払う。

④共有分割

土地・建物を複数の相続人の共有財産として相続する。

私は…
この家に住まないんだから家の権利とかより現金でしっかりもらいたいわ！
ちょっと待て！俺は母さんの面倒も見るし
これからも法要なんかでお寺さんに払うんだ
俺だって現金はいるんだよ

ウチだってお金がかかるときなのよ！
ったく…俺の考えた案に文句あるわけ？揉めごとは勘弁してよ
あんたもあんたよっ！ずっと面倒くさそうにしてっ!!
別に…

別にって何よ！家族にとって大事な話し合いなんだから…
あんたもちゃんと話し合いに加わりなさいよ
そうだぞ和彦！お前には家族愛ってもんがないのか!?

は…
家族愛だなんて都合のいいときだけそんな言葉使って…

俺がウチの
相続のために
どれだけ頑張ったと
思ってるんだよ
大阪から東京まで
行ったり来たりして
税理士にも依頼して
それほど大事な
家族の相続なら
もっと自分たちで勉強して
考えればいいだろ
俺の案に
文句があるなら
兄さんたちで
自由に決めてくれ
何を言ってい
るんだ和彦
俺はな…
しく
しく…
……
飯でも
食うか
少し
休憩しよう
そうだね…
俺がちゃんとした
遺言書を
残していれば～！
く～っ
スマン…

遺産分割は話し合いで決める

Point

遺産分割のための話し合いには原則として相続人全員が参加し、合意によって初めて成立します。

ココを押さえる!

- 遺産分割のための話し合いが必要な場合は、相続人全員参加による遺産分割協議を行う。
- 協議が合意に至らないときは、家庭裁判所に調停を申し立てることができる。
- 調停でも合意に至らないときは審判に委ねられる。

相続人全員が参加して遺産分割協議を行う

被相続人の遺産は、相続人全員の共有財産とされるため、通常は分割することが必要となります。

遺産は、**遺言の指定どおりに分ける指定分割が原則**です。指定が法定相続分と違っていても、基本的には遺言が優先されます。ただし、遺留分を侵害されている相続人がいる場合は、遺留分侵害額の請求をすることができます(→P.50)。

なお、遺言があったら必ず遺言のとおりにしなくてはいけないと思っている人が多いのですが、遺言の内容に関係なく、相続人全員の合意があれば、相続人どうしの話し合いによって財産を分けることもできます。

この話し合いを**遺産分割協議**といい、全員合意を目指します。合意した内容は遺産分割協議書(→P.116)にまとめます。このとき、遺産分割の目安となるのが法定相続分であり、これに特別受益や寄与分(→P.106)を考慮して決定していきます。遺言がない場合にも、**相続人全員で遺産分割の話し合い**を行います。

協議がまとまらないときは家庭裁判所の調停を利用する

遺産分割協議がなかなかまとまらない、あるいは協議に出席しない相続人がいるという場合には、家庭裁判所に**調停**を申し立てることができます。

調停は、家庭裁判所の裁判官と家事調停委員による調停委員会のもと、相続人どうしの話し合いが円滑に運ぶように支援をしてくれる制度です。

調停では、**各相続人の意見を聞き出したうえで調停委員会が調整を行ってくれます**。これにより協議が合意に至れば、合意内容を明記した調停調書が作成されて遺産分割は成立します。

ただし、調停委員会は強制力を持たないため、調停によっても合意に至らなかったときには、法的強制力のある**審判**に移行します。審判になると、**家庭裁判所が各相続人の経済状況や年齢、職業などを見て分割方法を決定**します。審判の内容に不服ならば、2週間以内に即時抗告の申し立てを行うことが必要です。

遺産分割が成立するまでの流れ

遺産分割協議

- 相続人全員で行う
  →未成年者や認知症の相続人などがいる場合は代理人を立てる（→P.104）

協議成立

相続人全員が合意すれば、遺産分割は成立する

遺産分割調停を申し立てる

- 申し立ては１人でもできる
- 調停委員会（裁判官と家事調停委員）の仲介で協議が行われる
- １人ずつ呼び出されて聴取を受ける

必要書類

☑ 遺産分割調停申立書 ☑ 被相続人の戸籍謄本（生まれてから死亡するまで）
☑ 相続人全員の戸籍謄本、住民票 ☑ 財産目録、不動産登記簿謄本など

調停成立

- 相続人全員の合意がとれたら、分割協議は成立となる
  →調停調書が作成される

調停不成立

- 相続人全員の合意がとれなかった場合は、分割協議は不成立となる
- 自動的に、審判の申し立てがあったとみなされる

審判

- 家庭裁判所が、各相続人の状況を踏まえたうえで遺産分割の審判を下す
- 審判の結果にも不服の場合
  →審判が下されてから２週間以内に即時抗告を行い、高等裁判所で争う

プラス1ポイント

家庭裁判所で相談できる「家事事件」とは？

家庭裁判所では、家庭内の紛争やさまざまな家事事件を処理しています。家事事件は、大きく2つに分けられます。

家庭裁判所には無料で相談にのってくれる窓口が設けられていますので、気軽に相談するとよいでしょう。

◆**乙類事件**〔例〕遺産分割協議など
- **調停もしくは審判**にて処理される。
- できるだけ当事者間の話し合いによる自主的な解決策をさぐる場とする。

◆**甲類事件**〔例〕相続放棄、遺言書の検認など
- 基本的に強制力のある**審判だけ**で処理される。
- 調停にまわすことはできない。

未成年者は協議に参加できないの？

Point

未成年者や認知症患者など、合理的な判断ができない相続人がいる場合は、代理人を立てる必要があります。

ココを押さえる！

- ☑ 未成年の相続人は遺産分割協議に参加できないため、特別代理人を選任する。
- ☑ 認知症などで判断能力がない相続人には、成年後見制度を利用する。
- ☑ 相続人の中に未成年者や認知症の人がいる場合には、遺言書をつくっておいたほうがよい。

未成年者の親も相続人の場合家庭裁判所に選任してもらう

遺産分割協議では相続人全員の同意が必要となるのですが、遺産分割協議が法律行為にあたるため、**未成年者が参加することはできません**。法定相続人の中に未成年者がいる場合には、**代理人**を立てることが求められます。

通常、未成年者の代理人は、その親（親権者）が務めます。ところが、親も相続人となっているようなケースでは、親子は利益相反※の関係にあるため、別の誰かに代理人となってもらうことが必要です。

未成年者の代理人は親権者が勝手に決められるものではなく、**家庭裁判所に特別代理人を選定**してもらわなければなりません。この申し立てができるのは、親権者と利害関係者のみです。

認知症の人の代理人は法定後見人

相続人が**認知症や知的障害・精神障害などによって合理的な思考や判断ができなくなっている場合**にも代理人が必要です。

このような状態の相続人の権利や利益を守るために設けられたしくみに**成年後見制度**があります。この制度に基づき、判断能力が低下している相続人の代わりに協議に参加し、相続後も財産管理や契約を継続して行っていく人を**成年後見人**として選任します。

成年後見制度は、相続人本人にまだ判断能力があるうちに**自分の意思で任意の人を選ぶ「任意後見人」**と、配偶者や親族などの申し立てによって**家庭裁判所に選任してもらう「法定後見人」**の２つに分けられます。相続人の親族の中に後見人として適当な人がいない場合には、法律や福祉の専門家が選任されることも多いようです。

なお、家庭裁判所で未成年者の代理人や認知症の人の後見人を選任する手続きには、とても時間がかかります。

そのため、相続人の中に未成年者や認知症の人がいる場合には、遺言書をつくっておくことをおすすめします。遺言書があれば、遺産分割協議のためにわざわざ代理人・後見人を選任する手続きは不要になるからです。

遺産分割協議のために代理人が必要なケース

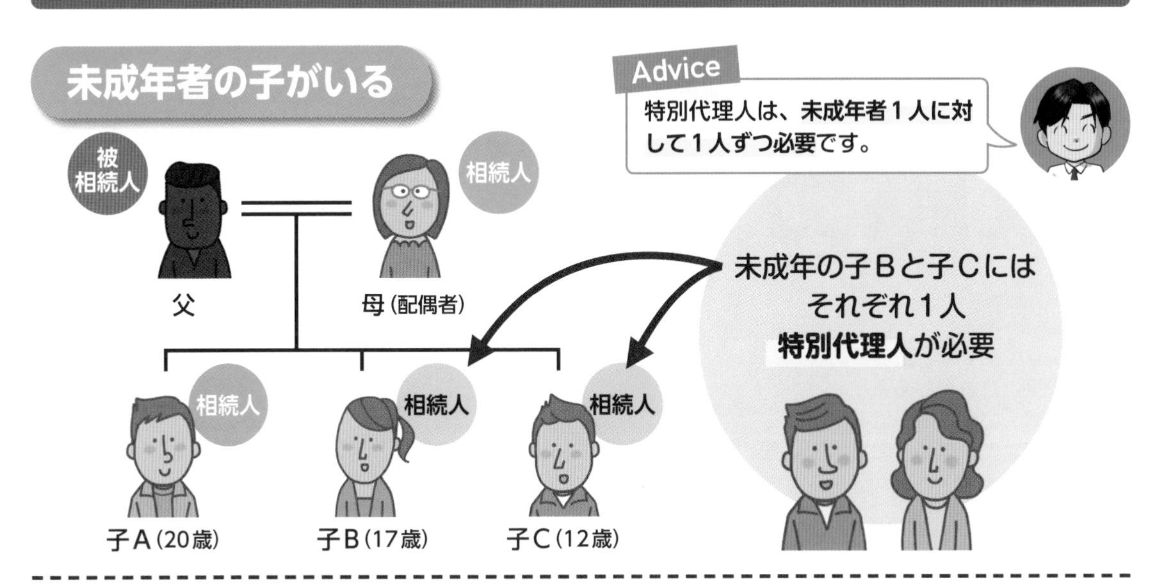

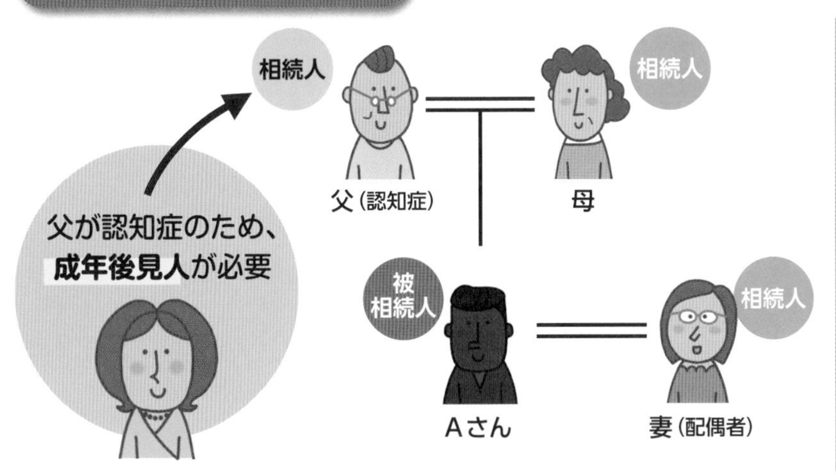

Key Word

利益相反（りえきそうはん）

互いに利益が相反する立場にあること。利益相反の立場にある人が代理人となることは、利害関係が衝突する行為となることから認められていない。

もしも相続人の中に行方不明の人がいたら

行方不明や生死不明になっている相続人がいる場合、いないからといって無視して遺産分割協議を進めることはできません。**不在のまま協議がまとまったとしても、それは無効となります。**

このようなときには、2つの対処法があります。

❶ 不在者財産管理人を選任する

行方不明となっている者が生存していることを前提として、代わりに財産を管理する人を選任する。ただし、そのままでは遺産分割協議に参加することはできないので、さらに家庭裁判所に対し、**「権限外行為許可」**の申し立てを行うことが必要。

❷ 失踪宣告をして死亡とみなす

7年以上行方不明となっている場合は、**失踪宣告**の手続きをとることで、死亡したものとみなして協議を行うことができる。

生前に受けた援助や貢献分はどうなるの?

Point

遺産分割では、生前に贈与を受けた財産があるか、被相続人の財産形成に貢献したかなども考慮します。

ココを押さえる!

- ☑ 被相続人の生前に特別にもらった財産がある相続人は、特別受益としてすでにもらった分を差し引かれる。
- ☑ 被相続人の財産の維持や増加に貢献があったと認められれば、寄与分として考慮される。
- ☑ 特別受益や寄与分をどの程度認めるかは、遺言がなければ、相続人どうしの話し合いによって決める。

生前に特別にもらった分は遺産の前渡し分ととらえる

複数の相続人で遺産を分割する場合、相続分どおりの配分では不公平が生じてしまうことがあります。

たとえば、被相続人の生前にまとまった額の財産が**特定の相続人にのみ贈与**されていたという場合です。民法では、その援助分を**特別受益**と呼び、通常、婚姻の際の持参金、学費や住宅資金のための援助金などがそれにあたります。そして、受益分を相続財産に加えたうえで相続分の算定を行います。これを**特別受益の持戻し**といいます。

特別受益者(特別受益をもらっていた人)の相続分は、被相続人から一部を前倒しでもらっていたと考えて、本来の相続分から受益分を差し引いた額となります。

ただし、特別受益はあくまでも相続人どうしの不公平をなくすための制度なので、特別受益の持戻しを行うかどうかは、ほかの相続人の判断に委ねられます。相続人どうしの間で、「特別受益があっても、気にしない」となれば、遺産分割の際に考慮する必要はありません。

財産の維持や増加に貢献した相続人には寄与分が認められる

被相続人の生前の財産の維持または増加に貢献してきたという相続人が利用できる制度があります。貢献した分を金銭的に評価し、**寄与分**として貢献した人の相続分にプラスすることで公平性を図ろうというものです。

ただし、寄与分として認められるのは、被相続人の事業を無償で手伝ってきたり、資金提供をしてきたり、長期間にわたって療養介護をして被相続人の経済的な負担を軽くしてきたり、といった特別の場合にかぎられます。

「妻や子の立場にある人が、被相続人の入院中、心を尽くして世話をした」という程度では、扶養義務の範囲内とされ、寄与分とは認められません。

なお、民法改正により、息子の嫁など相続人でない親族も、介護などの貢献分を相続人に請求できるようになりました。

特別受益にあたるケース、寄与分が認められるケース

特別受益にあたるケース

- 婚姻や養子縁組の際に、高額な嫁入り道具や持参金をもらった。
- 学費や留学費用、事業の開業資金、マイホーム資金などの援助を受けた。
- 被相続人から遺贈を受けた。

相続分＝（相続財産の総額＋特別受益）×法定相続分－特別受益

（特別受益の持戻し）

例

相続財産

2億円

で

相続人

子A　子B

かつ

子Aの特別受益

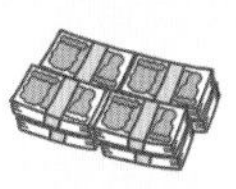

4,000万円（特別受益分）

の場合…

※特別受益を受けたときの価額ではなく、相続開始時の時価に換算して評価する。

- **子Aの相続分＝（2億円＋4,000万円）×1/2－4,000万円＝8,000万円**
- **子Bの相続分＝（2億円＋4,000万円）×1/2＝1億2,000万円**

寄与分が認められるケース

- 被相続人の事業に対して、無償の労働力を提供してきた。
- 被相続人の療養介護に専従して、付添人を雇う費用を免れた。

相続分＝（相続財産の総額－寄与分）×法定相続分＋寄与分

例

相続財産

8,000万円

で

相続人

子C　子D

かつ

子Cの寄与分

400万円（寄与分）

の場合…

- **子Cの相続分＝（8,000万円－400万円）×1/2＋400万円＝4,200万円**
- **子Dの相続分＝（8,000万円－400万円）×1/2＝3,800万円**

Advice

どの程度が適当かは、相続人どうしの話し合いによって決定します。もし、決められない場合は裁判所の裁定に委ねることになります。

被相続人が長女への資金援助を特別受益と認めなかったら？

特別受益の持戻しは、相続人どうしの公平を図るための制度なので、絶対的な強制力はありません。被相続人の遺言への明記による意思表示があれば、特別受益を相続財産に加えないようにすることが可能です。これを**特別受益の持戻しの免除**といいます。

また、特別受益や寄与分を主張する相続人がいるために協議に時間がかかることがあります。2023（令和5）年4月1日から相続開始後10年を経過した未分割の遺産分割については原則、法定相続分によって遺産分割することになりました。つまり、特別受益や寄与分の主張は10年以内にしなければなりません。

住んでいる家や土地はどうやって分けるの？

Point

土地・建物などそのままでは分割がむずかしい財産は、現金に換えてから分割するという方法もあります。

ココを押さえる！

- ☑ 不動産など分割しにくい財産が遺産の大半を占める場合には、相続人の事情に応じた分割方法を選択する。
- ☑ 遺産分割には、現物分割、換価分割、代償分割、共有分割などの方法がある。
- ☑ 共有分割は、のちのトラブルに発展する可能性がある。

現物を分ける、不動産を売って現金に換える

土地・建物などの不動産が遺産の大部分を占めるようなケースでは分割するのがむずかしく、相続分に不公平が生じてしまうことも考えられます。各相続人の年齢や生活状況なども考慮して分割方法を考えることが必要です。

遺産分割をする際の具体的な方法としては、**現物分割、換価（かんか）分割、代償（だいしょう）分割、共有分割**などがあります。

現物分割は、「家と土地は妻に、預貯金は長男と長女で半々に……」といったように、**個々の財産を各相続人に指定して分配する方法**です。場合によっては、相続分を金銭に換算して考えたときに差が出てしまうことがあるため、あとから揉めないためにも相続人全員の同意が何より重要となります。

また、相続人どうしの相続分を金銭的に公平にしたいのであれば、相続財産を売却して**お金に換えてから分割する、換価分割という方法**があります。

調整のための代償金を払う、共有で相続する

相続人の1人が被相続人（ひそうぞくにん）の所有する家屋に同居していた場合、今後の生活等を考慮し、その相続人が家や土地を相続するケースがあります。

このとき、家や土地を相続する相続人の相続分が、ほかの相続人と比べて**超過している場合には、その分を現金で支払うことによって調整します。これを代償分割といいます。**この場合、代償金を支払う相続人は、生命保険などで代償金を準備しておくことが必要です。

複数の相続人で共有して相続する、共有分割という方法もあります。たとえば不動産を複数の相続人の共有名義として相続するのです。無理な分割をしないことで財産の価値が守られる半面、将来的にその不動産を売却したいときに全員の了解を得るのがむずかしかったり、相続人の死亡によって共有者が増えてしまったりして、トラブルになることもあります。共有は〝共憂〟のもと、「とりあえず共有」という考え方には注意が必要です。

遺産分割の方法

現物分割

「家と土地は配偶者（妻・夫）に、預貯金は長男に……」など、個々の財産を各相続人に指定して分配する。

Point! 金銭に換算するとどうしても差が出るため、相続人全員の同意が何よりも重要になる。

換価分割

財産を売却し、金銭に換えて分割する。

Point! 不動産などを売却して得た利益に対しては、所得税や住民税がかかるので注意する。

代償分割

相続人の１人が家や土地を相続し、ほかの相続人にその差額を代償金として現金で払う。

Point! 代償金を支払う相続人は、生命保険などでまとまった現金を準備しておく必要がある。

共有分割

相続人の共有物として相続する。

Point! 将来的にその財産を売りたいときなどに、全員の了解を得るのが困難になる可能性がある。

Advice

兄弟での共有は避けたほうがよいのですが、将来の二次相続における分割対策や節税対策を考慮して、一次相続のときに、自宅を母と同居する子との共有にすることはあります。

相続人は兄弟3人のみなので共有名義で登記をすることに…

兄弟３人で、法定相続分の3分の1ずつ相続するものとして、**共有名義で登記することは可能**です。しかし、実際にその家に住んでいるのは、その中の1人（長男）となると、維持費などの負担はすべて長男にかかってくるため、次第に不公平を感じるようになります。

ほかにも、その不動産を処分したくなったときに、共有者全員の同意が必要になるため、簡単に売却したり担保にしたりできなくなる、共有名義の状態で新たな相続が発生すると持ち分がさらに細分化されて複雑になるなど、面倒なことになりかねません。

すぐに売却する場合を除き、兄弟での共有は極力避けたほうがよいでしょう。

事業や農地を引き継ぐときは？

Point

事業用資産や自社株を事業の承継者に相続させることは可能ですが、ほかの相続人の遺留分にも配慮します。

ココを押さえる！

- ☑ 個人事業主が亡くなった場合には、事業用資産や債務も相続の対象となる。
- ☑ 会社経営者が所有していた自社株は、承継者に集中して相続させる。
- ☑ 自社株、事業用資産、農地を承継する場合には、相続税・贈与税の納税が猶予される制度がある。

会社をどうするか事業の承継について考える

個人事業主は、事業に関するものであっても、個人の名義で店舗を建築したり、自動車や機械を購入したりしているのが一般的です。そのため、このような**事業用資産についても、相続財産として遺産分割の対象**になります。

また、その事業が許認可を必要とする場合は、改めて事業の承継者が許認可申請をしなければならないため、場合によっては営業できない期間が生じてしまうこともあります。

会社経営者が亡くなった場合、**おもな相続財産が自社株**になるケースは少なくありません。自社株は経営権そのものでもありますので、経営を安定させるためにも、**事業の承継者となる相続人に自社株を集約させることが重要**となります。

ただし、自社株や事業用資産を承継者へ集中的に相続させたい場合には、ほかの相続人の相続分や遺留分にも配慮して分割対策をしておくことが必要です。

なお、親族に適当な承継者がいない場合には、従業員など親族以外の者に承継させたり、会社を第三者に売却（M&A）したりして事業を存続させるケースもあります。この場合、当然のことながら、会社の業績が好調で、今後も成長が見込める事業でなければ、第三者への承継や売却はむずかしいでしょう。

また、死亡退職金（→P.68）や会社への貸付金、借入金などがあれば、それらもすべて相続財産に含まれます。

自社株、事業用資産、農地には、納税猶予の制度がある

事業の承継をしやすくするため、後継者が自社株や事業用資産、農地を相続し、その事業や農業を継続するなど一定の要件に該当する場合には、**相続した自社株、事業用資産、農地に係る一定の相続税の納税を猶予する制度**があります。生前にこれらの資産を贈与した場合には、**贈与税の納税を猶予する制度**もあります。

猶予された相続税や贈与税は、事業を継続する限りは納税が猶予されますが、**事業を継続できなくなった場合等には課税されます**ので、注意が必要です。

個人事業の事業承継の流れ

Step1 事業内容を見直す

●被相続人の事業を相続するためには、事業全体を見つめ直し、プラスの財産とマイナスの財産のすべてを洗い出すこと。

チェックポイント!

- 事業に使用していた動産はあるか?
- 事業用の事務所など、不動産はあるか?
- 金融機関からの借入金や売掛金、買掛金などがあるか?
- 各種債権・債務はどうなっているか?

Step2 事業承継を話し合う

●被相続人の事業を引き継ぐことができるのは、法定相続人か、遺言により事業用資産を遺贈された人のみ。

※たとえ共同経営者であっても、法定相続人でもなく、遺言もなければ、事業用資産を承継できない。

Step3 許可・認可を取り直す

●個人事業主の場合、申請した本人にしか認められないものが多い。事業を承継する際には、改めて許認可を申請し直すことが必要。

Step4 各種手続きも改めて行う

●金融機関との取引をはじめ、財産の名義変更や各種登録作業など、あらゆる手続きが必要になる。

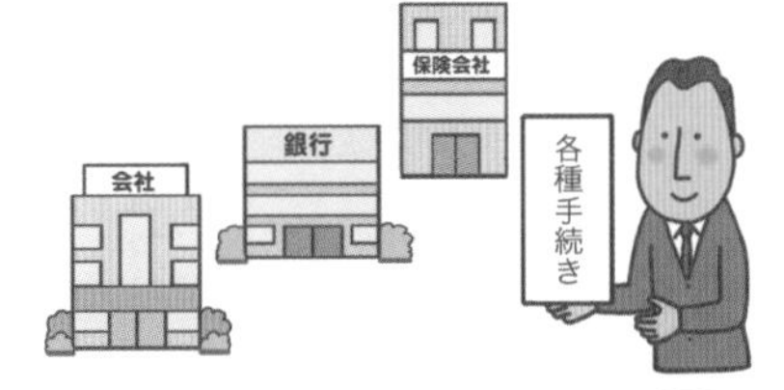

Advice

後継者以外の相続人が持つ遺留分が、円滑な事業承継の壁となるケースがあるので注意しましょう。

保険金で代償金を支払う場合には、贈与にならないように注意する

代償分割の代償金を死亡保険金から支払うことがあります。保険金は契約で受取人が決まっている受取人固有の財産であり、相続財産ではありません。代償金を支払う場合には、本来の相続財産の範囲内で支払う必要があります。相続財産を超えて代償金を支払うと、その超えた部分は贈与となり、贈与税がかかってしまいます。

事例

相続人はAとBの2人。相続財産は不動産3,000万円のみ。死亡保険金5,000万円の受取人はA。

【分割案】不動産はAが相続し、AからBに対して代償金4,000万円を支払いたいが……。

➡代償金4,000万円のうち、本来の相続財産である不動産3,000万円を超える金額1,000万円については、AからBへの贈与となり、Bに贈与税がかかる。

そっちはどう？
へえ愛美がオムレツ
つくったんだ
お姉ちゃんさすが

実はまだちゃんと
決まってないんだ
何時になるかまだ…

家のこと
任せちゃって
悪いわね
こっちは
大丈夫
うまくやる
から

母さん
手伝わなくて
いいの？
いいのいいの
ゆっくりしてて

久しぶりねぇ…
こうやって
家族みんなで
ご飯食べるの

子どもの頃
和彦さぁ
大好きなからあげ
兄さんに
いつもとられて
ベソかいてたね

そのたびに
やよいが
和彦のために
智宏に
怒ってたわね
そっ、その代わり
俺は和彦に
宿題教えて
やってたんだぞ
…

またあとで
話し合いの
続きしなきゃね

話したあとは
遺産分割
協議書も
つくらなきゃ
いけないし

「なんとか書」
ってなんだった
かしら？

みんなが
合意したら
遺産分割協議書って
いう書類を
つくるんだよ
「誰の遺産を」
「誰が」「どれだけ」
相続するかを
明記して
遺産分割協議書
園田裕子 印
園田智宏 印
玉川やよい 印
園田和彦 印
協議書の内容に
問題なければ
署名・押印して
1人1通ずつ
保管する
1人
1通ずつ！

それがあれば
あとでトラブルに
ならないな
そういう
こと

それに
遺産分割協議書は
相続税の申告とか
不動産の相続登記を
するときにも
必要になるから
なくさない
ようにね

そうか…
家と土地の名義を
変えなきゃ
いけないのか
もう父さんの家じゃ
なくなるんだな

父さんの準確定申告もしないと
父さんの？

相続が発生したら1月1日から死亡日までの所得税を
申告・納税しなきゃいけないんだよ

父さんの今年分の所得税か…
兄さん頼んでいいかな？わからなければ教えるから

ああ…わかった

税金かぁ…私たちは相続税もかかるのよねぇ
うん それは詳しい人に計算を頼むつもりだよ

ごちそうさま
もう行かなきゃ

泊まっていけば？
明日も仕事なんだ
忙しいのに悪かったわね
いや
和彦からあげばっかり食べてたね
おお そうだな

気をつけてね…
ああ

和彦はとっても賢くて頼れる息子で
みんなのためにあの分割案を出してくれたのよね

…？

でも今回は和彦も間違えてるんじゃないかなぁって母さんは思うの

えっ…？

もちろんお兄ちゃんとお姉ちゃんも自分のことばっかりで…
間違えちゃってるけどねぇ…
母さんもオロオロしてばかりで何にもできなくて…

だからみんなおあいこね

？

お母さんの気持ちに気づかないとは…まだまだだな
やよい飲みすぎだぞ！
兄さんだってつまみを食べすぎ！
こっちはこっちで心配だ…

遺産分割協議書を作成する

Point

分割協議が成立したら、成立した内容をまとめて遺産分割協議書をつくり、各人で保管します。

ココを押さえる！

- ☑ 分割協議が合意に至ったら、遺産分割協議書をつくる。
- ☑ 遺産分割協議書は相続人の人数分作成し、相続人全員が署名・押印（実印）のうえ、各人で保管する。
- ☑ 遺産分割協議書は、財産の名義変更や相続税の申告の際などに必要となる。

「誰が、どの財産を、どれだけ相続するのか」を明記する

遺産分割協議で、無事に相続人全員の**合意に至ったら、遺産分割協議書を作成**し、合意した内容をもれなく記録しておきます。

これは、遺産分割協議が成立したことを証明するためのもので、あとになって「言った」「言わない」といった相続人どうしのトラブルを防ぐためにも大切です。

遺産分割協議書には定型の書式があるわけではありませんが、すべての財産について、**「誰が、どの財産を、どれだけ相続するのか」**ということを具体的に明記しておくことが必要になります。

このとき、事前に作成済みの財産目録（→P.70）を活用します。万が一、相続人の誰かが故意に財産の一部を隠していたり、形見分けと称して高価な装飾品を受け取ってしまっていたりすると、のちに問題となってくる可能性もありますので、財産目録と照らし合わせてしっかりと確認することも必要です。

それでも、協議成立後に新たに財産が見つかることがあります。その場合にどうするか、具体的に決めておくのも争いを防ぐことにつながります。

なお、**遺産分割協議書は相続人の人数分を作成し、各相続人は署名・押印（実印）のうえ、各人で1通ずつ責任をもって保管**します。

遺産分割協議書は各種手続きの際に必要となる

相続税の申告をする際には、遺産分割協議書を**申告書に添付**します（コピーでよい）。

なお、配偶者の税額軽減や小規模宅地等の評価減などの特例を受けるためには、相続税の申告期限までに遺産分割が行われていることが適用要件となっています（相続税の計算については第4章で解説します→P.123～）。

遺産分割協議書は、不動産の相続登記や預貯金・有価証券の名義変更のときなどにも必要となります（→P.118）。

なお、相続登記や名義変更の手続きをする際には、遺産分割協議書に全員の印鑑証明書を添付します。

遺産分割協議書の書き方（例）

Advice
遺産分割協議書は、パソコンで作成してもOKです。

遺産分割協議書

被相続人織田浩二（XX年X月X日死亡）の遺産について、相続人である妻織田政子、長男織田浩平、次男織田雄太の3名は協議を行い、次の通り分割することに同意した。

最初に被相続人、相続人となる人が誰かを明記する

1. 相続人織田政子は、次の遺産を取得する。
 （1）土地
 所　在　東京都渋谷区上原X丁目
 地　番　X番X
 地　目　宅地
 地　積　200.00㎡
 （2）建物
 所　在　東京都渋谷区上原X丁目
 家屋番号　X番X
 種　類　木造
 構　造　瓦葺2階建
 床面積　1階　50.11㎡　2階　50.00㎡

土地・建物などの不動産の場合は、登記簿どおりに明記する

2. 相続人織田浩平は、次の遺産を取得する。
 （1）現金　5,000,000円
 （2）預金　A銀行代々木支店　普通預金　口座番号XXXXXXX

3. 相続人織田雄太は、次の遺産を取得する。
 （1）株式　B株式会社　普通株式　100株
 （2）被相続人名義の自動車　登録番号XXXX　車台番号XXXX
 （3）被相続人の時計・美術品

Advice
後日、新たに遺産が見つかったときにどうするかを文言にしておくとよいでしょう。

4. 相続人織田政子は、第1項記載の遺産を取得する代償として、織田雄太にXX年X月X日までに、金10,000,000円を支払う。

5. 上記の遺産以外に、後日判明した遺産については、織田政子がこれを取得する。

以上のとおり、相続人全員による遺産分割協議が成立したので、これを証明するために、本書を3通作成し、全相続人署名・押印のうえ、各自1通ずつ所持する。

XX年X月X日

協議を行った年月日を入れる

住所　東京都渋谷区上原X丁目X番
氏名　織田政子　実印
住所　東京都渋谷区上原X丁目X番
氏名　織田浩平　実印
住所　東京都練馬区桜台X丁目X番
氏名　織田雄太　実印

相続人全員の住所、署名（自筆）、押印（実印）

相続財産の名義を変更する

Point

分割協議が成立したら、遺産分割協議書に基づき財産の名義変更の手続きを行っていきます。

ココを押さえる!

- ☑ 遺産分割協議が成立したら、各相続人に名義を変更する。
- ☑ 名義変更の手続きの際に、遺産分割協議書と印鑑証明書が必要となる。
- ☑ 不動産の名義変更は相続登記という。

分割協議が成立したら各種の名義変更を行う

遺産分割協議書は、各相続人への名義変更の際にも必要となります。

たとえば、被相続人が亡くなったことで凍結されていた**預貯金の口座**は、その預貯金を相続した人に名義を変更することで初めて使うことができるようになります。

また、**株式**の場合は、相続が完了することで株式の所有者が代わります。配当の支払いや株主優待を受けたりするためには、被相続人から相続人の名義に変更しなければなりません。

いずれの手続きにおいても、**遺産分割協議書と印鑑証明書、被相続人および相続人全員の戸籍謄本**など、各金融機関の指定どおりに必要書類をそろえます。

また、借地権、借家権などの権利関係の相続や、自動車など日々の生活と密接にかかわっているものを引き継ぐ際にも、名義変更は欠かせません。日常生活に支障が出ないよう早めに手続きをすませましょう。

不動産相続は法務局にて相続登記を行うことで終了する

土地・建物など不動産を相続した場合には相続登記をすることによって所有権を移転、すなわち名義変更を行います。

登記簿上の所有者となって初めて、不動産の売却や担保にするといったこともできるようになります。とくに売却の予定がないからといって、亡くなった被相続人の名義のままにしておくと、次にその相続した人が亡くなったときに、先の相続登記にさかのぼって手続きを行わなければならないなど、余計な手間がかかります。また、2024(令和6)年4月1日から原則、**相続開始後3年以内に相続登記することが義務化**されました。

なお、**不動産の登記には、登録免許税がかかります**。相続による所有権移転登記の場合には、登録免許税は固定資産税評価額の1000分の4です。一方、遺贈による所有権移転登記の場合には、登録免許税は固定資産税評価額の1000分の20になります。登記申請の際は、固定資産税評価証明書を添付します。

相続登記までの流れ

Step1
必要書類を準備する

必要書類
- 登記申請書（申請者が自分で作成）
- 相続関係説明図（→P.39）
- 被相続人が生まれてから亡くなるまでの戸籍謄本
- 相続人の戸籍謄本・住民票
- 遺産分割協議書（印鑑証明書を添付）
- 固定資産税評価証明書

Step2
登記の申請

- 登記しようとする不動産所在地を管轄する法務局に必要書類をそろえて提出。
- **登録免許税**は収入印紙で納める。

登録免許税がかかる！
- **相続人が相続した場合**
  →固定資産税評価額の1000分の4
- **相続人以外が遺贈によって取得した場合**
  →固定資産税評価額の1000分の20

Step3
登記の審査

- 不備があった場合は、**呼び出し**を受けることもある。

登記完了！

- 指定された日に法務局に出向き、結果を確認する。
- 問題がなければ、**登記識別情報通知**が発行されて完了となる。

Advice
相続登記の書類作成や申請が面倒な場合には、司法書士など専門家に頼むほうが早くて確実です。

プラス1ポイント

法定相続情報証明制度がスタート

2017年5月29日より、法務局において「法定相続情報証明制度」がはじまりました。この制度を利用することにより、各種相続手続きで戸籍謄本の束を何度も出し直す必要がなくなります。相続手続きがいくつもある場合、手続きが同時に進められ、時間短縮につながります。

〈手続きの流れ〉
①必要書類の収集
被相続人の出生から死亡までの戸籍謄本、住民票の除票、相続人の戸籍謄本、住民票など
②法定相続情報一覧図の作成
③申立書および上記①②を法務局へ提出
④法定相続情報一覧図の写しの交付（無料）

被相続人の確定申告をする

Point

被相続人が亡くなったら、その年の被相続人の所得税は相続人が申告をして支払わなければなりません。

ココを押さえる!

- ☑ 被相続人が亡くなった年に所得があった場合には、相続人が代わって準確定申告を行う。
- ☑ 準確定申告の提出と納付期限は、相続開始日から4ヵ月以内。
- ☑ 相続人が2人以上いる場合は、連署にて申告を行う。

被相続人に所得がある場合は代わって確定申告を行う

被相続人(ひそうぞくにん)が亡くなった年に、被相続人本人に所得があった場合は、被相続人に代わって相続人(そうぞくにん)が確定申告を行い、所得※税と復興特別所得税を納めなければなりません。これを**準確定申告**といい、**相続開始日から4ヵ月以内に申告・納税することが必要**です。

準確定申告の際には、氏名、住所、被相続人との続柄(つづきがら)、相続分などを記載した「死亡した者の○年分の所得税および復興特別所得税の確定申告書付表(兼相続人の代表者指定届出書)」(→左ページ)を添付します。相続人が2人以上いる場合には相続人全員の連署による提出が原則です。

なお、被相続人が1ヵ所からの給与所得しかない場合には、基本的にその会社が年末調整をしてくれるので、準確定申告をする必要はありません。

ただし、**給与所得者でも2ヵ所以上から給与を得ている場合**や、**給与の収入金額が2000万円を超える場合**には申告が必要です。

被相続人が死亡した日までに支払ったものは控除の対象

準確定申告の場合、**所得控除(こうじょ)の対象となるのは、被相続人が死亡した日までに支払ったもの**にかぎられます。

たとえば、入院していて亡くなった場合、**死亡後に入院費を精算すると**、その費用は準確定申告の医療費控除の対象にはなりません。ただし、**相続税の債務(さいむ)控除の対象になります**。あわせて、相続人が被相続人と同一生計であれば、相続人の確定申告の医療費控除とすることができます。そのほか、社会保険料、生命保険料、地震保険料などについても同様で、死亡した日までに被相続人が支払った保険料などは所得控除の対象となります。

さらに、配偶者(はいぐうしゃ)控除や扶養(ふよう)控除も、死亡した日の現況で判断します。

準確定申告により確定した納付税額は、相続税を計算する際に、未払い分の税金として債務控除の対象となり、相続財産から差し引かれます。逆に、還付税額は、課税財産(未収還付税金)として相続財産に加えられます。

準確定申告書を書くときのポイント

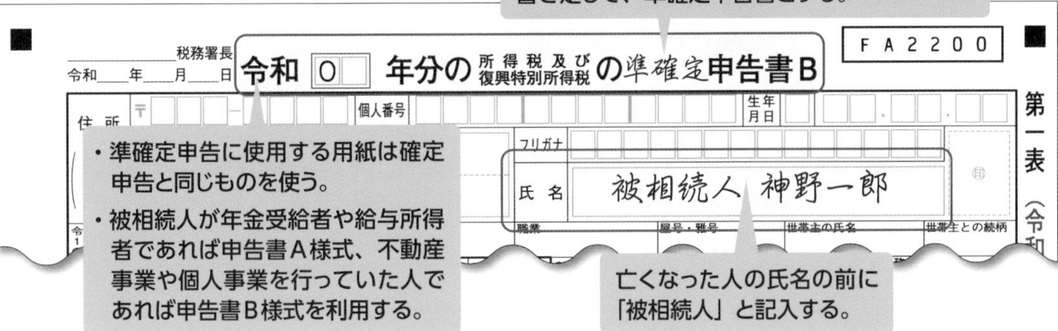
用紙のタイトル部分に「準確定」という文字を書き足して、準確定申告書とする。

税務署長
令和＿年＿月＿日
令和 0 年分の 所得税及び復興特別所得税 の準確定申告書B
FA2200
第一表（令和
住所
個人番号
生年月日
フリガナ
氏名 被相続人 神野一郎
職業 屋号・雅号 世帯主の氏名 世帯主との続柄

・準確定申告に使用する用紙は確定申告と同じものを使う。
・被相続人が年金受給者や給与所得者であれば申告書A様式、不動産事業や個人事業を行っていた人であれば申告書B様式を利用する。

亡くなった人の氏名の前に「被相続人」と記入する。

死亡した者の＿＿年分の所得税及び復興特別所得税の確定申告書付表
（兼相続人の代表者指定届出書）

準確定申告書と一緒に提出する付表。被相続人との続柄、相続分などを記載する。

受付印

1 死亡した者の住所・氏名等					
住所	（〒 － ）	氏名	フリガナ	死亡年月日	平成 令和 年 月 日
2 死亡した者の納める税金又は還付される税金	（第3期分の税額）（還付される税金のときは頭部に△印を付けてください。）				円…A
3 相続人等の代表者の指定	（代表者を指定されるときは、右にその代表者の氏名を書いてください。）		相続人等の代表者の氏名		
4 限定承認の有無	（相続人等が限定承認をしているときは、右の「限定承認」の文字を○で囲んでください。）				限定承認
	（〒 － ）	（〒 － ）	（〒 － ）	（〒 － ）	

この付表は、申告書と一緒に…

Advice

準確定申告は、相続開始日から4ヵ月以内に提出しなければなりません。つまり5月1日に亡くなったら、4ヵ月後の9月1日が提出期限となります。

プラス1ポイント

被相続人がサラリーマンでも準確定申告が必要なケースがある

必ずしも準確定申告が必要というわけではありません。会社員のような給与所得者であった場合は、その会社が年末調整などを行ってくれるため、基本的には、申告は必要ありません。**準確定申告が必要となるのは、次のようなケース**です。

❶ 被相続人が個人事業主

個人で事業を営んでいたり、不動産所得を得ていたりした場合。

❷ 給与所得者でも必要な場合

給与所得者でも、2ヵ所以上から給与を得ている場合、収入が2,000万円を超える場合、給与所得と退職所得以外の所得の合計が20万円以上の場合には申告が必要。

Key Word

所得税（しょとくぜい）

毎年1月1日から12月31日までの1年間に生じた所得に対して課される税金のこと。翌年の2月16日から3月15日までの期間に申告して納付しなければならない（通常の場合）。

Q 相続した自宅を売却して兄弟で分ける予定ですが、何かよい節税方法はありませんか？

相続人は私（被相続人の長男）と、それぞれ別の場所に住んでいる次男・長女の3人です。私は相続した自宅に、1990（平成2）年より居住しています。

A 遺産分割の仕方を工夫することで、所得税を節税できます

所得税の「譲渡所得の特例」である**居住用財産の3000万円控除**と**軽減税率**を使えるようにするのです。具体的には実際、**住んでいた相続人が自宅を相続し、他の相続人には代償分割**（→P.108）**として現金を支払う形**をとります。

次の2つのケースで比べてみましょう。

ケース1 代償分割をした場合

長男が自宅を相続し、自宅を売却する。代償分割金として、長女、次男には現金を分配する。自宅の売却額は6,000万円とする（所得税の計算については、諸経費を割愛）。

・居住用財産の3000万円控除の特例を使い、3,000万円を控除する。
・軽減税率の特例を使い、税率は10%となる

長男の所得税：(6,000万円－3,000万円)×10%＝300万円
→長男にのみ、300万円の所得税がかかる！

ケース2 自宅を均等に相続した場合

長男、次男、長女が自宅を1/3ずつ相続し、自宅を売却する。同様に、自宅の売却額6,000万とする（所得税の計算については、諸経費を割愛）。

・長男のみ、居住用財産の3000万円控除の特例と軽減税率の特例が適用される。
・譲渡にかかる所得税率は15%。

長男の所得税：(6,000万円×1/3－3,000万円)×0.1＝0円
次男の所得税：6,000万円×1/3×0.15＝300万円
長女の所得税：6,000万円×1/3×0.15＝300万円
→次男と長女にそれぞれ300万円、合計600万円の所得税がかかる！

ケース1とケース2では、300万円もの差が出ることがわかりました。それならば、**ケース1の方法で節税し、その300万円を3人で均等に分けるのが賢明**でしょう。

代償分割を行うには、遺産分割協議書に下記のように記載するだけです。

> 相続人○○（長男）は、取得した財産の代償分配金として、相続人××（次男）、△△（長男）に対して、現金XXXX円を令和X年Y月Z日までに支払うものとする。

第4章

相続税の金額を計算する

Section1

相続税はどうやって計算するの?

- 相続税の申告と納付はいつまでにするの?
- **相続税・計算ステップ❶**
  課税遺産総額を求める
- **相続税・計算ステップ❷**
  相続税の総額を求める
- **相続税・計算ステップ❸**
  各人の相続税額を求める

Section2

相続税はどうやって納めるの?

- 申告にはどんな書類が必要なの？
- 相続税は現金一括払いが原則
- 申告漏れにはペナルティがある

□□弁護士事務所
遠くまで悪かったね わざわざ来てもらっちゃって
いつも和彦に来てもらってるから…
な、なぁやよい

そっ、そうそう！それにウチは大阪観光も兼ねているし

ギクシャクしてるなぁ…
こんにちはみなさん

どうぞ
どうも…

和彦 この人は？

一緒に仕事している税理士の用賀友里さん
大学の先輩なんだ
よろしくお願いします

和彦！こういう人がいるならどうして早く言わないんだ
ガタッ
なんで兄さんに言わなきゃいけないんだよ

挨拶しなきゃ失礼だろ！

弟のヤツがいつもお世話に…
いえ こちらこそ
よく わからん…

ウチの相続財産の評価額を出してもらって
相続税の申告も手伝ってもらうんだからみんなお礼言ってよ
よろしくお願いします

では…ご説明しますね

まず大まかな手順としましては
ステップ1 課税される対象となる遺産の総額を算出する
ステップ2 1に基づいて相続税の総額を算出する
ステップ3 2に基づいて相続人それぞれの納税額を確定させる
相続税の申告・納付を行う
となります

申告・納税まで相続開始日から10ヵ月以内となっています
???

相続税額の計算は私が責任をもって行いますが…
どのようなしくみで課税されるかについては
ご家族のみなさんもだいたいの流れを把握しておいてください

こんなに頼れる人がお嫁さんなら安心なのにねぇ
ほっこり♥
聞いてない
先輩…気にせず続きをどうぞ

では先ほどのステップ1~3の手順をざっくりと説明しますね
はい

ステップ1

課税される対象となる遺産の総額を算出する

 ＋  ＋  ＋  － 基礎控除

母：裕子がもらう遺産 / 長男：智宏がもらう遺産 / 長女：やよいがもらう遺産 / 次男：和彦がもらう遺産

＝ **課税遺産総額**

基礎控除＝
3,000万円＋（600万円×法定相続人の数）
※園田家の場合は4人。

ステップ2

ステップ1に基づいて、相続税の総額を算出する

課税遺産総額  ×税率－控除＝ 相続税額
母：裕子1/2

課税遺産総額  ×税率－控除＝ 相続税額
長男：1/6

課税遺産総額 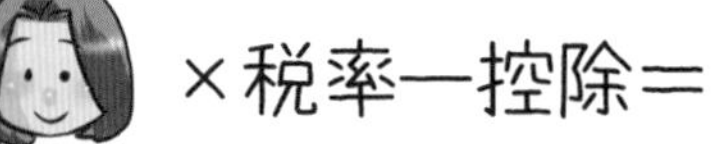 ×税率－控除＝ 相続税額
長女：1/6

課税遺産総額   ×税率－控除＝ 相続税額
次男：1/6

これを合計する → 相続税の総額

ステップ3

ステップ２に基づいて、相続人それぞれの納税額を確定させる

相続税の総額 × 按分割合

＝ 相続人ごとの納税額

「相続財産の総額」に占める「個人がもらう財産」の割合のことだよ

相続税額に所定の控除などを行うことで

みなさんの納税額が確定します

相続人の納税額決定!!

相続税の申告と納付はいつまでにするの?

Point

遺産の総額が基礎控除額を超える場合は、10ヵ月以内に相続税の申告と納付を行う必要があります。

ココを押さえる!

- ☑ 相続税とは、被相続人の財産を相続したときにかかる税金(国税)のこと。
- ☑ 遺産の総額が基礎控除額を超える場合には、相続税の申告をする必要がある。
- ☑ 相続税の申告と納付の期限は、相続開始日(被相続人の死亡した日)の翌日から10ヵ月以内。

相続財産の総額が基礎控除を超えた場合のみ

相続税は、**相続または遺贈によって被相続人の財産を受け継いだ個人にかかる税金(国税)**です。死因贈与(贈与者の死亡によって効力を生じる贈与契約)や相続時精算課税制度(→P.176)により財産を取得した場合も、同じように相続税の申告対象となります。

相続税には基礎控除があり、**相続財産の額が定められた基礎控除額を超えた場合のみ**相続税の申告が必要です。

基礎控除額は、2014年の相続までは「5000万円+(1000万円×法定相続人の数)」でしたが、**2015年の相続から「3000万円+(600万円×法定相続人の数)」と、およそ6割に引き下げられました。**

たとえば、マンガの園田家のように法定相続人が4人の場合の基礎控除額は、「3000万円+(600万円×4人)=5400万円」となります。つまり、相続財産の総額が基礎控除額の5400万円以下であれば、相続税の申告も納付も必要ありません。

相続税は10ヵ月以内に現金一括払いが原則

相続税の申告と納付は、相続開始日の翌日から10ヵ月以内に行うことと定められています。相続人が複数人いる場合には、共同で1つの申告書を作成し、被相続人の住所地を管轄している税務署に提出します。

納付方法は現金一括払いが原則のため、手元に十分な現金がない場合には、相続した土地・建物などを売却して納税資金にあてるなどの対処が必要となります。

どうしても期限内の現金一括納付がむずかしい場合には、延納や物納(→P.144)という制度もありますが、適用要件はとてもきびしく、安易に利用することはできないようになっています。

なお、相続人には**連帯納付義務**があり、誰か1人が身勝手な理由で相続税を納めないでいると、ほかの相続人に納税通知が送られます。ただし、原則として、申告期限から5年を過ぎた時点で連帯納付義務は解除されます。

相続税の申告・納付までのタイムスケジュール

被相続人の死亡（相続開始）

相続人の確認

- ☑被相続人と相続人のすべての戸籍謄本を取得する。
- ☑被相続人は、原則、出生から死亡までがわかる戸籍が必要。

相続財産（遺産）の調査

- ☑被相続人のすべての資産と債務を調べて、把握する。
- ☑被相続人の資産と債務を比較するなどして、相続するかどうかを検討する。

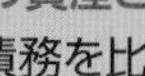

単純承認

- ☑単純承認する場合には、とくに手続きは必要ない。

相続放棄・限定承認

3ヵ月以内

- ☑相続放棄もしくは限定承認を選択する場合には、家庭裁判所に申述する。

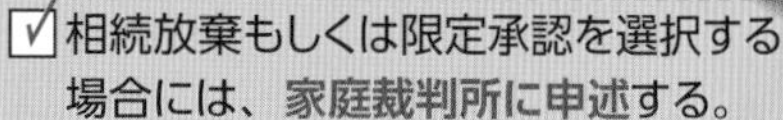

被相続人の準確定申告

- ☑被相続人の1月1日から死亡した日までの所得を把握し、所得税を計算する。
- ☑準確定申告として、被相続人の所得税の申告・納付を行う。

相続財産（遺産）の評価

- ☑すべての相続財産をもれなく把握し、評価額を算出する。

※みなし相続財産（生命保険金など）や死亡した日前3年以内の生前贈与なども含む。

遺産分割協議

- ☑相続人全員でどのように遺産を分割するかという協議を行い、合意が得られたら遺産分割協議書を作成する。

相続税の計算・納税方法の決定

- ☑相続税を計算し、納税資金を準備する。

※一括現金納付が原則だが、延納または物納にする場合は申請する。

相続税の申告・納付

10ヵ月以内

- ☑相続税の納付が必要になる場合、小規模宅地等の評価額減の特例（→P.156）などを適用する場合には、相続税の申告書を作成し、納付も行う。

●申告期限を過ぎてしまった場合
⇒延滞税が課される。

●申告した税額が少なかった場合
⇒過少申告加算税が課される。

●多く払いすぎていた場合
⇒更正の請求（5年以内）が必要。

相続税・計算ステップ①

課税遺産総額を求める

Point

相続税の計算は3段階に分けて行います。ここではまず、ステップ①として課税遺産総額を求めます。

ココを押さえる!

- ☑ 相続税の計算は、大きく3つのステップに分けて行う。
- ☑ 被相続人の財産を受け取った人の課税価格を個々に算出する。
- ☑ 計算した課税価格を合計し、基礎控除額を差し引いて、課税遺産総額を求める。

相続財産の評価額を算出し各人の課税価格を計算する

相続税は、大きく3つのステップに分けて計算していきます。

ステップ① **課税対象となる遺産の総額を算出する。**

ステップ② **相続人全員の相続税の総額を算出する。**

ステップ③ **相続人ごとに相続税額を算出し、加算や控除を行い、各人の納税額を確定させる。**

ここでは、まずステップ①について説明します。ステップ①は、**「①相続人ごとに課税価格を出す」→「②課税遺産総額を出す」**という2段階で進めます。このとき、法定相続人だけでなく、遺贈によって財産を取得する者（受遺者）も含みます。

課税価格は、各相続人が次の手順で計算します。まず、本来の相続財産と生命保険金などのみなし相続財産を合わせます。そこから、借入金や未払金などの債務と一定の葬式費用を債務控除として差し引くとともに、贈与を受けた財産があれば加算します。この額が、各人の課税価格となります。

基礎控除額を引いて課税遺産総額を計算する

次に先ほど計算した各人の課税価格を全員分合計して、**課税価格の合計額**を出します。そこから**基礎控除額を引いたものが、課税遺産総額**となり、この額に対して相続税がかかります。

基礎控除額は、「3000万円+(600万円×法定相続人の数)」で計算されます。

なお、この「法定相続人の数」については、民法と税法とでは考え方がちがうため、注意が必要です。

たとえば、相続放棄をした人がいる場合、民法では相続人でないとされます。一方で税法、つまり相続税の計算を行うときには、その放棄がなかったものとして法定相続人の数に含めます。

また、養子(→P.39)についても、民法では何人でも養子にできますが、税務上は、「法定相続人の数」に算入される養子の数には制限があり、被相続人に実子がない場合は2人まで、実子がある場合は1人までとなっています。

ステップ❶：課税対象となる遺産の総額を算出する

❶ 相続人ごとに課税価格を出す

相続財産 ＋ 相続時精算課税の適用を受ける贈与財産 － 非課税財産 － 債務・葬式費用 ＋ 相続開始前※7年以内の贈与財産 ＝ 各相続人の課税価格

- 相続財産：みなし相続財産を含む
- 非課税財産：・お墓などの祭祀道具　・生命保険の非課税枠　など
- 債務・葬式費用：・ローンなどの借入金、未払金　・葬儀社や斎場へ支払う費用　・寺院へのお布施、戒名料　など

※2024（令和6）年1月1日の贈与から適用。

各相続人の合計を！

Advice
まず相続人ごとに、自分が受け取った遺産額をもとにこの課税価格を求め、次にその合計額を出します。

❷ 課税遺産総額を出す

各相続人の課税価格の合計額 － 基礎控除額 ＝ 課税遺産総額

基礎控除額：3,000万円＋（600万円×法定相続人の数）

例 園田家の場合

遺産等

土地：8,000万円
（△小規模宅地の評価減 特例6,400万円減）
⇒母800万円、長男800万円

家屋：400万円
⇒母200万円、長男200万円

預貯金・株式：3,700万円
⇒長女1,850万円、次男1,850万円

生命保険金：3,000万円
（△非課税500万円×4人＝2,000万円減）
⇒母1,000万円

葬式費用：△100万円
（支払者は母）

❶ 相続人ごとに課税価格を出す

母　（800万円＋200万円＋1,000万円）－100万円＝**1,900万円**

長男　（800万円＋200万円）＝**1,000万円**

長女　**1,850万円**

次男　**1,850万円**

❷ 課税遺産総額を出す

（1,900万円＋1,000万円＋1,850万円＋1,850万円）
－（3,000万円＋600万円×4人）＝6,600万円－5,400万円＝**1,200万円**

相続税・計算ステップ❷
相続税の総額を求める

Point

相続税の総額は、課税遺産総額を各相続人が法定相続分で相続したものと仮定して計算します。

ココを押さえる!

- ☑ ステップ①の課税遺産総額を各相続人が法定相続分どおりに相続したものと仮定して、各人の相続分を算出する。
- ☑ 各人の取得金額に応じた税率をかけて税額を求める。
- ☑ 各人の相続税額を合計し、相続税の総額を求める。

法定相続分を相続したとして相続税の総額を計算する

ステップ②では、**相続人全員の相続税の総額**を算出します。まず、**課税遺産総額を法定相続人が法定相続分どおりに相続したものと仮定して、各人の相続分に応じた取得金額を算出**します。

各人の法定相続分に応じた取得価額に、税率(下表参照)をかけたあと、一定の控除額を引いて、各人の相続税額を計算します。

なお、相続税の税率は、一定額を超えた分に対して、その超過金額が増加すればするほど高くなるしくみ(**超過累進税率**)が適用されています。

さらに、**各人の相続税額を合計**します。これが**相続税の総額**となります。このように、相続税の総額は、法定相続分をもとに計算するため、遺産分割が成立していなくてもおおよその総額を算出することは可能です。

納税資金の準備が心配なときには、あらかじめ必要な税額を計算しておくこともできます。

●相続税の速算表

法定相続分に応ずる取得金額	税率	控除額
1,000万円以下	10%	—
1,000万円超～3,000万円以下	15%	50万円
3,000万円超～5,000万円以下	20%	200万円
5,000万円超～1億円以下	30%	700万円
1億円超～2億円以下	40%	1700万円
2億円超～3億円以下	45%	2700万円
3億円超～6億円以下	50%	4200万円
6億円超～	55%	7200万円

ステップ❷：相続税の総額を算出する

❶ 各相続人の取得金額を出す

課税遺産総額 × 各相続人の法定相続分 ＝ 各相続人の取得金額

❷ 各相続人の相続税額を出す

各相続人の取得金額 × 税率 － 控除額 ＝ 各相続人の相続税額

税率と控除額は右ページの「相続税の速算表」を参照

❸ 相続人全員の税額を合計し、相続税の総額を出す

相続人Aの相続税額 ＋ 相続人Bの相続税額 ＋……＝ 相続税の総額

すべての相続人の相続税額を足していく

例 園田家の場合（P.131の続き）

課税遺産総額 1,200万円

Advice

各相続人の取得金額は、課税遺産総額を法定相続分どおりに相続したとして分割し、求めます。

❶ 各相続人の取得金額を出す

母 1,200万円×1/2 ＝**600万円**

長男 1,200万円×1/6 ＝**200万円**

長女 1,200万円×1/6 ＝**200万円**

次男 1,200万円×1/6 ＝**200万円**

❷ 各相続人の相続税額を出す

母 600万円×10% ＝**60万円**

長男 200万円×10% ＝**20万円**

長女 200万円×10% ＝**20万円**

次男 200万円×10% ＝**20万円**

❸ 相続人全員の税額を合計し、相続税の総額を出す

60万円＋20万円＋20万円＋20万円＝ **120万円**

園田家の相続税の総額！

相続税・計算ステップ③
各人の相続税額を求める

Point

各人の課税価格に対する税額を算出したうえで、加算や控除を行い、最終的な納付税額を計算します。

- ☑ 相続税の総額を、実際に取得した財産の割合（按分割合）に応じて分配する。
- ☑ 被相続人の1親等の血族および配偶者以外の者については、相続税額の2割加算が適用される。
- ☑ 相続税には6つの税額控除があり、要件を満たす場合には控除される。

相続税の総額から各人の相続税額を算出する

ステップ③では、**相続人ごとに相続税額を算出し、加算や控除を行い、各人の納税額**を確定させます。

そのもとになるのが、ステップ②で求めた相続税の総額です。そこから各人が納める税額を算出するためには、**実際に各人が取得した財産の割合に応じて、相続税の総額を分配する**ことが必要です。

そこでまず、課税価格の合計に対する**各人の課税価格の割合（按分割合）**を求めます。その割合を相続税の総額にかけることによって、各人の相続税額を算出します。

加算や控除を行って最終的な納付税額が決定

各人の相続税額がそのまま納付税額となるわけではありません。相続人の立場や状況によって税額が加算されたり、控除されて減額されたりします。

まず、税額が加算される場合について見ていきます。財産を取得した人が、被相続人の配偶者や1親等の血族（親や子）以外の場合には、算出した相続税額の2割に相当する金額が加算されます。これを**相続税の2割加算**といいます。おもに孫や兄弟姉妹、受遺者に適用されます。ただし、孫については、遺贈により財産を取得した場合や、孫養子の場合には2割加算の対象となりますが、代襲相続人として相続した場合には、2割加算の対象とはなりません。

次に、税額控除を見ていきます。相続税の税額控除は、**暦年課税分の贈与税額控除、配偶者の税額軽減、未成年者控除、障害者控除、相次相続控除、外国税額控除**の6つ（→P.136）です。使える控除が多く、控除額が高くなるほど、税額は安く抑えられます。

配偶者の税額軽減とは、配偶者は1億6000万円か法定相続分のどちらか大きい金額まで相続しても相続税がかからない特例です。ただし、申告期限までに遺産分割ができていないと使うことができません。なお、この特例を使うことで相続税がかからなくなる場合でも、相続税の申告を行う必要があります。

ステップ③：相続人ごとに納税額を確定させる

❶ 各相続人の相続税額を出す

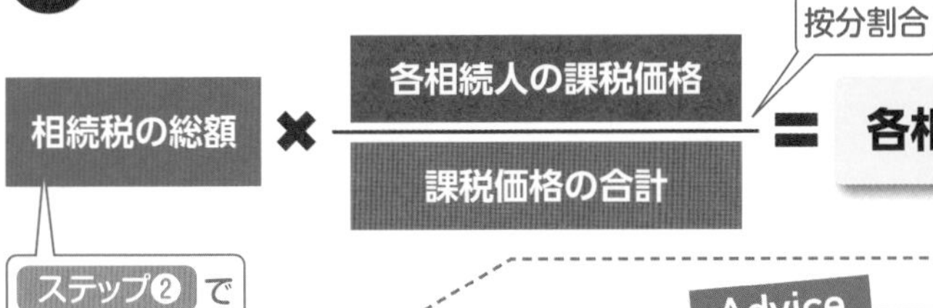

相続税の総額 × 各相続人の課税価格 / 課税価格の合計（按分割合） = 各相続人の相続税額

ステップ②で算出した金額

Advice

もし各相続人の相続税を求めて端数が出た場合は、100円未満は切り捨てです。

❷ 各相続人の納税額を確定させる

各相続人の相続税額 ＋ 加算 － 控除 ＝ 各相続人の納税額

加算と控除の具体的な項目については、P.136を参照

この計算結果が0あるいはマイナスになった場合、その相続人の納税額は0円になる

例 園田家の場合（P.133の続き）

相続税の総額 120万円

❶ 各相続人の相続税額を出す

母 120万円× 1,900万円 / 6,600万円 ＝ **34.6万円**

長男 120万円× 1,000万円 / 6,600万円 ＝ **18.2万円**

長女 120万円× 1,850万円 / 6,600万円 ＝ **33.6万円**

次男 120万円× 1,850万円 / 6,600万円 ＝ **33.6万円**

按分割合に小数点以下2位未満の端数がある場合には、財産の取得者全員が選択した方法により、各取得者の割合の合計値が1になるように端数調整をする。

❷ 各相続人の納税額を確定させる

母 34.6万円－34.6万円（配偶者の税額軽減）＝ **0円**

長男 長女 次男 はとくに加算・控除がないため、
①で求めた金額がそのまま納税額となる。

相続税の加算・控除

＋：加算

●相続税額の２割加算

対象者：被相続人の配偶者および１親等の血族（父母・子、代襲相続人となっている孫）以外の者

例　孫（孫養子を含む）、祖父母、兄弟姉妹、甥・姪、受遺者など

計算式　**相続税額 × 0.2 ＝ ２割加算の金額**

ー：控除

●暦年課税分の贈与税額控除（→P.172）

（→P.172）

相続開始前※7年以内の贈与は相続財産に加えられるが、そのときの贈与税額は控除される。

計算式

$$\text{贈与を受けた年分の贈与税額} \times \frac{\text{相続税の課税価格に加算した贈与財産の価額}}{\text{贈与を受けた年分の贈与税の課税価格}} = \text{控除額}$$

※2024（令和6）年1月1日の贈与から適用。

●配偶者の税額軽減

配偶者が相続する財産が、次の金額のいずれか多いほうまで相続税はかからない。

①1億6000万円　②配偶者の法定相続分

●未成年者控除

法定相続人が未成年者の場合は、その年齢に応じて控除を受けることができる。

計算式

10万円 × 満18歳になるまでの年 ＝ 控除額（※端数は切り上げ）

※控除額が相続税額を超える場合は、控除しきれない額を扶養義務者の相続税額から差し引くことができる。

●障害者控除

法定相続人が85歳未満の障害者の場合、その年齢に応じて控除を受けることができる。

計算式

10万円 × 満85歳になるまでの年数 ＝ 控除額（※端数は切り上げ）

※特別障害者の場合は1年につき20万円。

※控除額が相続税額を超える場合は、控除しきれない額を扶養義務者の相続税額から差し引くことができる。

●相次相続控除

今回の相続開始前10年以内に被相続人が相続または遺贈により財産を取得し相続税が課されていた場合には、その被相続人から相続または遺贈により財産を取得した人の相続税額から、一定の金額を控除できる。

●外国税額控除

外国にある財産につき外国の法令に基づいて課税された一定の相続税がある場合には、二重課税を排除するため、日本の相続税から控除することができる（限度あり）。

さらに！ 園田家の二次相続の場合の計算例を見てみよう

例

相続関係者 被相続人：母　相続人：長男、長女、次男

遺産等 土地：4,000万円（△小規模宅地の評価減の特例 3,200万円減）
⇒長男800万円
家屋：200万円
⇒長男200万円
預貯金：9,000万円
⇒長男1,000万円 長女4,000万円 次男4,000万円
葬式費用：△100万円 ※支払者は長男。

ステップ❶：課税対象となる遺産の総額を算出する

❶ 相続人ごとに課税価格を出す

長男 800万円＋200万円＋1,000万円－100万円＝**1,900万円**
長女 **4,000万円**
次男 **4,000万円**

❷ 課税遺産総額を出す

(1,900万円＋4,000万円＋4,000万円)－(3,000万円＋600万円×3人)＝**5,100万円**

ステップ❷：相続税の総額を算出する

❶ 各相続人の取得金額を出す

長男 5,100万円×1/3＝**1,700万円**
長女 5,100万円×1/3＝**1,700万円**
次男 5,100万円×1/3＝**1,700万円**

❷ 各相続人の相続税額を出す

長男 1,700万円×15%－50万円＝**205万円**
長女 1,700万円×15%－50万円＝**205万円**
次男 1,700万円×15%－50万円＝**205万円**

❸ 相続人全員の税額を合計し、相続税の総額を出す

205万円＋205万円＋205万円＝**615万円**

ステップ❸：相続人ごとに納税額を確定させる

❶ 各相続人の相続税額を出す

長男 615万円×(1,900万円／9,900万円)＝**118万円**
長女 615万円×(4,000万円／9,900万円)＝**248.5万円**
次男 615万円×(4,000万円／9,900万円)＝**248.5万円**

❷ 各相続人の納税額を確定させる

長男 **123万円**
長女 **246万円**
次男 **246万円**

●申告に必要なおもな添付書類

身分・遺産分割に関するものについては…

☑被相続人の戸籍謄本　☑遺産分割協議書（写し）
☑相続人全員の戸籍謄本と印鑑証明書 など

土地・建物に関するものについては…

☑登記簿謄本　☑固定資産評価証明書 など

●延納制度

申告期限までに現金一括納付ができない場合にかぎり、分割で納付する制度。

一括で払えない

●物納制度

延納によっても現金納付ができない場合にかぎり、相続した不動産などで納付する制度。

土地しかない！

なるほど
延納や物納は
簡単にはできないんですね

それと税金を
納められないまま
納付期限を
過ぎちゃうと
延滞税が
かかるから
気をつけてね
ご家族にも
お伝えしてね

そろそろ
帰るんでしょ？
また月曜日にね

すみません
俺の家族の仕事を
こんな遅くまで…

いいのよ
報酬もディナーも
先払いして
もらってるし

和彦くんのご家族
想像どおりだったな
会えて
うれしかったわ
…そうですか？

あのあと
みなさんと
お茶したの
和彦くんの
小さい頃の
ことも
聞かせて
もらっちゃった
和彦は
小学生になるまで
おねしょ
してたんですよ
和彦に
勉強を
教えたのは
僕なんです！
和彦を何度
クラスの
いじめっ子から
助けたことか
…

みんな優しくて
和彦くんが家族に
甘えて育ったのが
よくわかったわ

今はみんなが
俺に甘えて
くるん
ですけど
相続のことだって
ほとんど俺に
押しつけてるし

そうかな?
みんなで
大阪まで来て
くれたじゃない
目的は観光ですよ
ここに来たのは
ついででしょう

…

迷って
たんだけど
やっぱり
言うね…

和彦くん
これって
みんなが
幸せになる
分け方かな?
母50%
兄25%
姉25%

面倒だから
俺は遺産は
いりません…
ほしそうな
兄さんと姉さんは
これくらいあれば
納得するでしょ…って
「どうぞ俺に関係ない
ところで
揉めてください」って
放り投げて
いるように
見えるけど

あなたが放り出したのはお父様の遺産だったのかしら…それとも…
…

俺これから実家に行ってきます
あの…家族の一員としてみんなと話し合ってきます

そしたら申告書書き直してもらえますか?
もちろん

帰ったらでいいけどディナー３回分追加ね
わかってますよ!

実家に着くのは深夜だな…

母さん…兄さん…姉さん…
スイ!
父の思い出もあるだろ和彦!

申告にはどんな書類が必要なの?

Point

相続税の申告書には、遺産分割協議書や評価明細書などさまざまな書類を添付しなければなりません。

ココを押さえる!

- 相続税の申告書は、第1表から第15表まである。
- 被相続人1人につき1つの申告書を作成し、相続人が複数いる場合には共同で提出する。
- 遺言書や遺産分割協議書をはじめ、相続する財産の種類に応じて必要な書類を添付する。

被相続人1人につき1つの申告書を提出する

相続人もしくは受遺者は、相続開始日（被相続人が亡くなった日）の翌日から10ヵ月以内に、被相続人の住所地の所轄税務署に相続税の申告・納付をしなければなりません。

申告書は、被相続人1人につき1つ作成します。相続人が複数いる場合には、原則として、共同で1つの申告書を作成します。

各相続人がそれぞれ自分の相続した財産について、各自で相続税を計算して申告するわけではありません。なぜなら、日本の相続税の計算方式が、**相続財産の総額をもとに各相続人の相続税を計算する方式**だからです。

したがって、たとえば申告をしたあとに財産が見つかった場合には、その財産を相続する相続人だけではなく、全員の相続税額に影響がおよぶことになります。

相続税の申告書は、**第1表から第15表**まであり、相続人の状況や相続財産の内容によって提出書類は異なります。

相続する財産の種類ごとに必要な書類を添付する

相続税の申告の際には、申告書のほかにも、**さまざまな添付書類**が必要です。遺言書や遺産分割協議書をはじめ、被相続人や相続人の戸籍謄本や住民票など身分に関するもののほか、財産の種類に応じて必要書類をそろえます。

●土地・建物などの不動産

評価明細書、登記簿謄本、固定資産評価証明書　など

●有価証券や預貯金

評価明細書、残高証明書　など

●生命保険

保険証書や保険金の支払明細書　など

●借入金

借入金の残高証明書　など

このように、相続税の申告書には多くの書類を添付しなければならないため、申告書の厚さが数センチになることも珍しくありません。

相続税の申告は大変複雑です。そのため、専門家である税理士に依頼するのが一般的です。

相続税のおもな申告書

P.184～187に書式の見本を掲載しています！

第1表	**相続税の申告書**（第2表以下で計算した数字をこの表にすべて集約する）
第2表	**相続税の総額の計算書**（法定相続人が法定相続分どおりに相続したと仮定して計算する）
第3表	財産を取得した人のうちに農業相続人がいる場合の各人の算出税額の計算書
第4表	相続税額の加算金額の計算書
第4表の2	暦年課税分の贈与税額控除額の計算書
第5表	配偶者の税額軽減額の計算書
第6表	未成年者控除額・障害者控除額の計算書
第7表	相次相続控除額の計算書
第8表	外国税額控除額・農地等納税猶予税額の計算書
第9表	生命保険金などの明細書
第10表	退職手当金などの明細書
第11表	**相続税がかかる財産の明細書**（財産ごとに価額と取得した人を記載する）
第11の2表	相続時精算課税適用財産の明細書・相続時精算課税分の贈与税額控除額の計算書
第11・11の2表の付表1	小規模宅地等についての課税価格の計算明細書
第12表	農地等についての納税猶予の適用を受ける特例農地等の明細書
第13表	債務および葬式費用の明細書
第14表	純資産価額に加算される暦年課税分の贈与財産価額および特定贈与財産価額・出資持分の定めのない法人などに遺贈した財産・特定の公益法人などに寄附した相続財産・特定公益信託のために支出した相続財産の明細書
第15表	**相続財産の種類別価額表**（相続人ごとに財産の種類別価額を集計する）

申告に必要な添付書類（おもなもの）

●身分・遺産分割に関するもの
- 被相続人のすべての相続人を明らかにする戸籍謄本
- 遺言書（写し）または遺産分割協議書（写し）
- 相続人全員の印鑑証明書
- 相続関係説明図　　など

●土地・建物に関するもの
- 土地および土地の上に存する権利の評価明細書
- 路線価図、登記簿謄本、測量図
- 固定資産税評価証明書
- 賃貸借契約書　　など

●金融資産に関するもの
- 上場株式の評価明細書
- 有価証券残高証明書
- 銀行残高証明書　など

●みなし相続財産に関するもの
- 生命保険証書（写し）
- 生命保険金の支払明細書
- 退職金の支払調書　など

●債務・葬式費用に関するもの
- 借入金の残高証明書
- 未払金、未納公租公課の領収書
- 葬式費用の領収書　など

相続税は現金一括払いが原則

Point

相続税は現金一括で納付するのが原則です。できない場合にかぎり、延納や物納を申請することができます。

ココを押さえる！

- ☑ 相続税は、申告期限である10ヵ月以内に、現金一括で納付するのが原則。
- ☑ 現金一括納付ができない場合にかぎり、延納を申請することができる。
- ☑ 現金一括納付も延納もできない場合にかぎり、物納を申請することができる。

現金一括納付ができないときは延納の申請ができる

相続税は、**相続税の申告期限（相続開始日から10ヵ月以内）までに、現金で一括納付するのが原則**です。

しかし、申告期限までに現金で納付できない事情があり、一定の条件を満たしている場合にかぎり、申請書を提出したうえで、**延納の制度**を利用することができます。延納とは、一括納付が困難な金額を限度として、年賦で納めていく方法です。

延納期間は原則5年以内ですが、課税相続財産のうち不動産の価額が占める割合に応じて最長20年まで認められます。延納期間中は**利子税**というかたちで、利子の支払いが生じます。なお、延納の許可を受けるためには、延納税額に相当する担保の提供も必要となります。

また、延納申請後に延納を続けることができなくなった場合には、申告期限から10年以内であれば、物納に変更することもできます。ただし、資産状況の変化などが証明されないかぎりは認められません。

どうしても金銭で払えないときは物納も可

相続財産の大半が不動産である場合など、延納によっても金銭で納付することが困難であるときには、申請書および物納手続関係書類を提出のうえ、金銭以外の相続財産で納付する**物納制度**を利用することが認められています。

ただし、どんな財産でも物納できるというわけではありません。物納可能な財産の種類については、条件や優先順位が定められており（左ページ参照）、かつ、日本国内にあるものにかぎられています。

ちなみに、物納として提供されることの多い不動産は第1順位です。

ただし、共有財産や抵当権がついている不動産、境界が不明確な土地、法令に違反して建築された建物などは、**物納不適格財産**として記されているため、ほかに適当な相続財産があるときには、物納財産の変更が求められます。

なお、物納申請後に延納が可能になった場合は、一定の条件を満たせば延納に変更することも認められています。

延納制度と物納制度の適用条件

●延納制度

申告期限までに現金一括納付ができない場合に、原則5年（最長20年）まで分割して納付することができる制度

適用条件

☑相続税が**10万円を超えること**
☑通常の申告期限（相続開始日から10ヵ月以内）までに**金銭で納付するのが困難な事情があること**
☑**担保を提供**しなければならない
　※1 延納税額と1回目の利子税の3年分の額に相当する担保が必要。
　※2 ただし、延納税額100万円以下で、延納期間3年以下の場合は不要。
☑相続税の申告期限までに、**延納申請書**に**担保提供関係書類を添付**して提出する

●物納制度

延納によっても現金による納付ができない場合に、金銭以外の相続財産による納付ができる制度

Advice
物納できない財産には、抵当権などがつけられている財産、ほかの人との共有財産などがあります。

適用条件

☑延納によっても**金銭で納付することができない事情があること**
☑物納する財産が**定められた種類**の財産であり、かつ**定められた順位**によっていること
　第1順位　不動産、船舶、国債、地方債、上場株式等
　第2順位　非上場株式等
　第3順位　動産
　※先順位に該当する財産がない場合にかぎり、後順位の財産で物納することができる。
☑国が管理・処分するのに適した財産（**物納適格財産**）であること
☑申告期限までに、**物納申請書**と**物納手続関係書類を添付**して提出する

相続税をまかなえるだけの現金がなかったら？

　相続した財産や相続人自身の財産で納税資金をまかなえない場合には、**不動産の売却、金融機関からの借入れ、延納・物納の申請などを考える必要があります**。ただし、不動産を売却するには、測量や境界確定などに時間がかかります。延納や物納の申請にはきびしい要件があります。これらのことから、**生前の納税資金対策が不可欠**といえます。
　不動産を売却した場合には、譲渡益（資産を売って得た利益）に対して所得税15％・住民税5％がかかります（長期譲渡所得の場合）。さらに測量費や仲介手数料などの費用もかかります。これらを差し引いた手取額から相続税を支払うことになるわけです。

申告漏れにはペナルティがある

Point

期限までに納税しなかったり、間違って申告したりすると、延滞税や加算税が課されることがあります。

- ☑ 申告額が少なかった場合は修正申告を行い、申告額が多かった場合は更正の請求を行う。
- ☑ 期限内に納付されなかった場合には、延滞税がかかる。
- ☑ 正しく申告されなかった場合、税務署からの指摘を受けると加算税が課せられる。

申告・納税が必要かどうかは自分で判断しなければならない

税務署は市区町村役場に提出された死亡届や過去の申告状況などから、相続税が発生しそうな人に対しては、相続税の申告書や申告の手引きなどを郵送しています。

ただし、相続税の申告が必要なすべての人に、必ず郵送しているわけではありません。したがって、申告書が送られてこないからといって、相続税の申告をしなくてもよいというわけではありません。**自分で（あるいは税理士などの専門家に相談して）、申告の必要があるかどうかを判断**し、必要ならば申告期限までに申告・納税しなくてはなりません。

延滞税（えんたいぜい）は、①申告などで確定した税額を納付期限までに完納しないとき、②期限後、申告書や修正申告書を提出した場合で、納付しなければならない税額があるとき、③更正（こうせい）または決定の処分を受けた場合で、納付しなければならない税額があるときなどにかかります。

いずれの場合も、納付期限の翌日から実際に納付する日までの日数に応じて延滞税を納付しなければなりません。

申告内容に間違いがあったら修正申告を行う

新たに財産が見つかったり、申告した財産の評価が間違っていたりしたことで、**実際よりも少ない税額で申告してしまった場合にはただちに修正申告を行い、不足分の税額を納付します。**

修正申告をする前に、税務調査などにより指摘を受けてしまうと、**過少申告加算税**（かしょうしんこくかさんぜい）という別の税金が加算されます。しかし、自主的に修正申告を行えば過少申告加算税はかかりません。

逆に、**多く払いすぎていた場合には、払いすぎを還付してもらうよう、更正の請求書を提出する**ことができます。ただし、更正の請求には期限があり、本来の申告期限から5年以内に行うこととされています。さらに、そのほかの事情から税金を払いすぎた場合には、その事情を知った日の翌日から4ヵ月以内に請求しなければなりません。税務署に認められれば、払いすぎた税額分が還付されます。

相続税のペナルティ

納付期限を過ぎても、まだ完納できていない！

延滞税

納付期限の翌日から、実際に納付するまでの日数に応じてかかる。

① 納付期限の翌日から2ヵ月を経過する日まで

年「7.3%」と「特例基準割合＋1%」のいずれか低い割合

（注）2024年1月1日～2024年12月31日は年2.4%

② 納付期限の翌日から2ヵ月を経過した日以降

年「14.6%」と「特例基準割合＋7.3%」のいずれか低い割合

（注）2024年1月1日～2024年12月31日は年8.7%

税務調査で不足分を指摘された！

過少申告加算税

① 税務調査で指摘を受けて修正申告

追加納付分の10%

※期限内申告税額と50万円のいずれか多い金額を超える部分については15%

② 税務調査前に修正申告

ペナルティなし

申告期限までに申告・納付をしなかった！

無申告加算税

① 税務調査で指摘を受けて申告

納税額に対して15%

※50万円超の部分については20%

② 申告期限後に自主的に申告

納税額に対して5%

相続財産を仮装・隠ぺいした！

重加算税

① 仮装・隠ぺいし、申告

過少申告加算税に代えて35%

② 仮装・隠ぺいし、税務調査で指摘を受けて申告

無申告加算税に代えて40%

申告期限から3年以内に遺産分割する場合

相続税の申告期限までに遺産分割が決まらず、未分割のままで申告する場合には、「小規模宅地等の評価減の特例」や「配偶者の税額軽減」など、相続税を減額できる特例を利用することができません。これらの特例を利用せずに税額を計算し、納付期限までに申告・納付することになります。申告時に必ず「相続税の申告書の提出期限から3年以内に分割する旨の届出手続」として、「申告期限後3年以内の分割見込書」を添付します（→P.156）。もし納付期限までに相続税を納められなければ、延滞税がかかります。

そのあと、申告期限から3年以内に遺産分割ができた場合には、その遺産分割の日から4ヵ月以内に「更正の請求」をすることで、「小規模宅地等の評価減の特例」や「配偶者の税額軽減」の適用を受けられます。このとき、当初の申告で相続税を多く納めすぎていれば、その分の還付を受けられます。

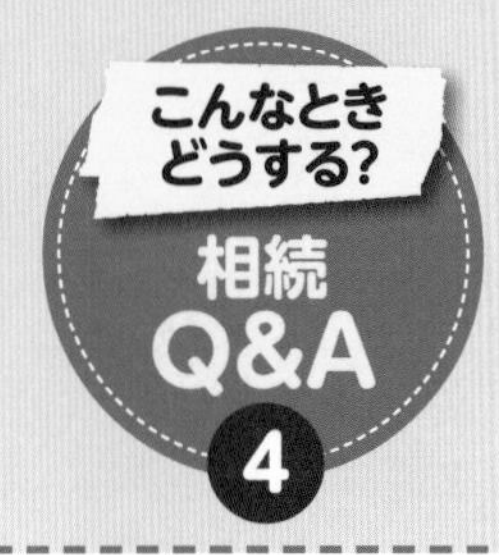

質問者Dさん

Q 相続で何が一番のもめごとの原因になるのでしょうか？

A 相続人間の不平等が問題になるケースが多いです

たとえば、相続財産が自宅のみの場合を考えてみましょう。遺言で「自宅を長男に相続する」と指定したら、ほかの相続人は財産をいっさい相続できません。そのため、**「ほかの相続人が遺留分侵害額の請求を起こす（→P.50）」「自宅を売って現金で分けないといけなくなる」**などの事態が考えられます。ほかの相続人が遺言の内容を受け入れれば問題は生じませんが、何があるかわからないのが相続です。

質問者Dさん

**Q 遺留分侵害額の請求をされた場合は、どうすればよいですか？
また、自宅の売却を回避するために、自宅を共有にするのはありですか？**

**A 遺留分侵害額は、現金で支払う必要があります。
相続人による自宅の共有もおすすめできません**

したがって、**現金を用意できない場合は、自宅を売却する**必要があります。また、簡単に共有にしてしまうと、のちのち問題が生じやすくなります。売却など、何をするにもほかの共有者に相談をしなければなりません。とくに最近、問題になるケースとして、兄弟の１人が商売や会社経営をしていて、共有財産に抵当権を設定する場合があります。抵当権はほかの共有者の承認があれば、全体に設定できますが、自分の共有分のみに設定することもできます。そうすると最悪の場合、**借入の返済が滞り、知らぬ間に他人が共有者になっていたという事態が実際にあります。**そのため、特別の場合を除いて共有は避けるべきでしょう。

質問者Dさんの長男

Q 住まいを失いたくないので、自宅を売却しないで済む方法はありませんか？

A 遺言書、代償分割、生命保険の３つを組み合わせてはどうでしょうか

この解決策のポイントは３つです。

1 代償分割（→P.108、P.122）の方法で、**自宅を長男に相続させ、ほかの相続人に代償分割金を支払う**という内容の遺言書を作成します。

2 代償分割金は、**必ず遺留分相当額以上に設定**します。また、遺言書に**受けわたす金額をきちんと記載**します。遺言書に金額の記載がないと、代償分割する金額について、兄弟間でもめるおそれが高くなります。

3 被相続人が生命保険に加入し、**長男が支払う代償分割金を生命保険で用意**します。その際、保険金の受取人を長男にし、生命保険の金額を代償分割金相当額に設定するのです。

このように相続が“争続”にならないための対策は、絶対に必要です。相続争いはお金が絡むものですが、**「勘定」が「感情」に変わると、もともと良好な家族関係であっても泥沼の事態になりかねません。**お金で解決できるものはお金で解決すると割り切るのも、大切な相続対策になるのです。

第5章

節税で税額を低く抑える

Section1

どんな節税方法があるのだろう?

- 生前にできる相続税対策
- 住んでいる土地の評価額を下げる
- アパート経営で節税できるの?
- 生命保険は節税にも納税対策にもなる
- 一次相続と二次相続のトータルで考える
- 遺産を寄附すると節税になるの?

Section2

生前贈与を上手に活用しよう!

- なぜ贈与が相続税の節税になるの？
- 「あげたつもり」は贈与にならない！
- 生前に財産を贈与し相続時に精算する制度もある
- おしどり夫婦の特例、「贈与税の配偶者控除」とは？
- マイホーム資金の贈与は非課税となる
- 教育や結婚・子育て資金は一括で贈与！

①自宅の土地：8,000万円
自宅の建物：400万円
→母と長男で50%（4,200万円）ずつ相続

②預貯金・株：3,700万円
→長女と次男で50%（1,850万円）ずつ相続

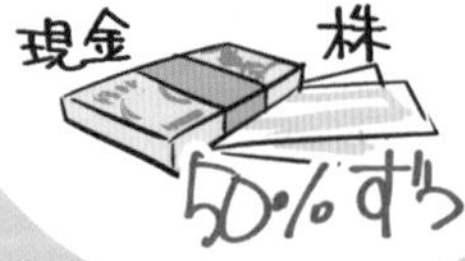

ウチのことなら心配いらない…
家族で力を合わせて頑張るから！

これでいいんじゃないか？
なあ母さんやよい
ウん

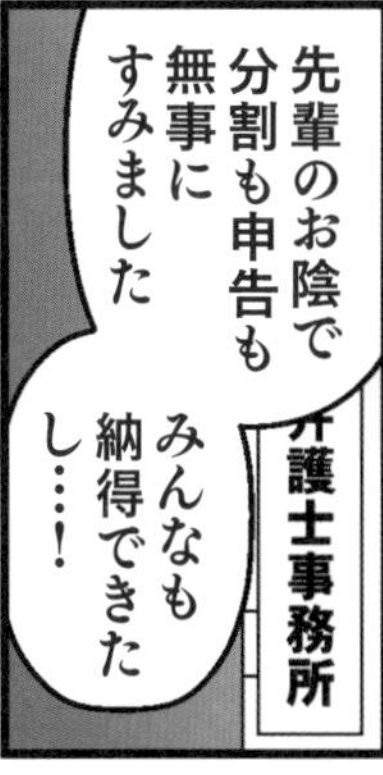
先輩のお陰で分割も申告も無事にすみました
みんなも納得できたし…！
護士事務所

よかったわ
もしよければ東京に来てくれませんか

みんなもお礼を言いたがってます
喜んで

それじゃ日にちは…

友里さんようこそ園田家へ！

友里さんには本当にお世話に…
いえいえ
兄さんのことはほっといてこちらへ

事前から対策を立てていればもっと税金を低く抑えられたかもしれません
相続は生前からしっかりと対策をとることで
揉めなくてすむし税額も低くできるんです

節税対策の基本

①相続財産そのものを減らす
→生前贈与の活用 など

②相続財産の評価額を下げる
→小規模宅地等の評価減の特例の利用、賃貸用不動産の購入 など

③そのほかの方法
→生命保険金・死亡退職金の非課税枠の利用 など

小規模宅地等の評価減の特例

被相続人が自宅や賃貸用不動産として使っていた宅地など

↓ 一定の要件を満たすと…

その宅地の評価額を80% or 50%減らせる！

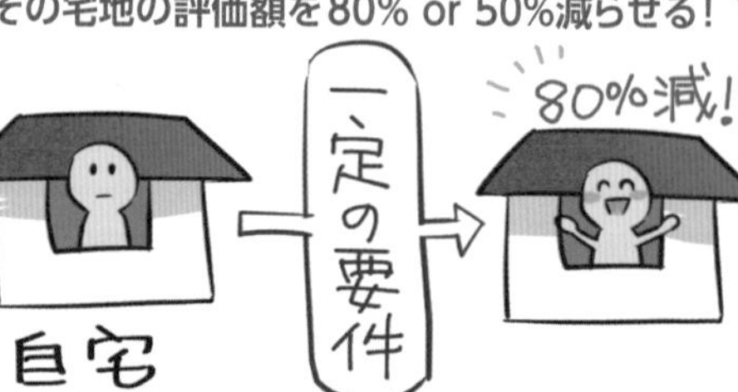

アパート経営などで他人に貸している建物は自宅より30％も評価が下がります
30％ダウン！
アパート
おお？！

でもこの家を
アパートやマンションにするのは抵抗があるわ…
ガッカリ

もっと手っ取り早くて効果的なのが
生命保険金の非課税枠を利用することですね
生命保険金には「500万円×法定相続人の数」という非課税枠があるんです

ウチの場合は500万円×4人＝2000万円ですね
ええこれも今回しっかり適用させました
友里さん頼りになる～！

今回は突然の相続ということで使える節税方法にも限りがありましたが
できれば生前から相続対策を考えることをオススメしますよ

せっかくだから友里さんに相談に乗っていただこうかしら
ええお力になります

俺もこんな急にポックリ逝くとは思わなかったからなぁ…
備えあれば憂いなしだよ母さん
うんうん
そして目を覚ませ智宏っ
家賃収入で
友里さんと安定したくらし…
ポ～～…
おーい

生前にできる相続税対策

Point

相続税の節税対策は早くはじめるほど有効です。ここでは、節税対策の3つのキホンを押さえましょう。

ココを押さえる!

- ☑ 相続税の節税方法は、①財産そのものを減らす、②財産の評価額を下げる、③そのほかの方法の3通りある。
- ☑ 相続財産を減らすには、生前贈与を上手に活用する。
- ☑ 財産の評価額を下げるには、不動産の評価や特例の活用がポイントとなる。

相続財産を減らす生前贈与財産の評価額を下げる不動産

相続税は、相続・遺贈により財産を取得した個人にかかる税金です。相続財産の額が高いほど税額は高くなります。

節税対策の基本は、①財産そのものを減らす、②財産の評価額を下げる、③そのほかの方法の大きく3つに分けられます。

①の財産そのものを減らすのにもっとも有効なのは、**生前贈与**です。生きているうちに子や孫などに贈与することで、相続の際に引き継ぐ財産を減らします。生前贈与のしくみや注意点、いろいろな非課税制度については、172ページ以降で詳しく説明します。

②の財産の評価額を下げるためには、相続財産のうち**不動産に着目**します。一般に、財産は現金で持つより不動産に換えたほうが評価は下がります。

たとえば、投資用マンションの購入やアパートの建築により、財産の評価を引き下げることもできますし(→P.158)、**小規模宅地等の評価減の特例**(→P.156)を活用することもできます。

相続税の計算のしくみを理解して節税する

③のそのほかの方法としては、**生命保険金・死亡退職金の非課税枠**を活用する方法(→P.160)や、**養子縁組**により法定相続人の数を増やす方法などがあります。

養子については、1人増えると基礎控除が600万円増え、相続税の税率も下がる可能性があるほか、生命保険金や死亡退職金の非課税枠も増えます。ただし税務上は、法定相続人の数に算入される養子の数には制限があります。

また、相続は一次相続※と二次相続※のトータルで考えることも大切です。あらかじめ二次相続の相続税を試算したうえで、一次相続の遺言や遺産分割の内容を決めるのが賢い方法といえます(→P.162)。

相続税の申告期限までに、相続財産を国や地方公共団体、公益法人などへ寄附(遺贈)した場合には、寄附した財産については相続税がかかりません。被相続人が遺言で遺贈する場合と、相続人が相続財産のうちから寄附する場合のどちらの場合も適用となります(→P.164)。

節税の考え方と方法

そもそも相続税は……

☑ 相続税は、**相続財産の評価額の合計**に対してかかる
☑ 相続税は超過累進税率といい、**財産金額が高いほど税率が高くなる**しくみ！

**財産金額が減れば
税率も下がり
相続税が安くなる!**

そのための方法は、大きく分けて次の3通り！

❶ 相続財産そのものを減らす

☑ 生前贈与を上手に活用する

❷ 相続財産の評価額を下げる

☑ 小規模宅地等の評価減の特例を活用する
☑ 投資用不動産の購入、賃貸用不動産の建築を行う など

❸ そのほか

☑ 生命保険金、死亡退職金の非課税枠を活用する
☑ 養子縁組により、法定相続人を増やす
☑ 一次相続・二次相続のトータルで相続税額を比較検討する
☑ 公益法人等への寄附（遺贈）に対する非課税を活用する など

相続対策では優先順位を考える

いくら不動産が節税対策になるからといっても、相続財産が不動産ばかりでは、財産が「分けられない」、相続税が「払えない」ということになってしまいかねません。

相続税対策の優先順位は、**①分割対策**、**②納税対策**、**③節税対策**であることを忘れないようにしましょう。

したがって、分割対策・納税対策として、生前に不動産を売却して、「分けやすく」「納めやすく」しておくことも大切です。

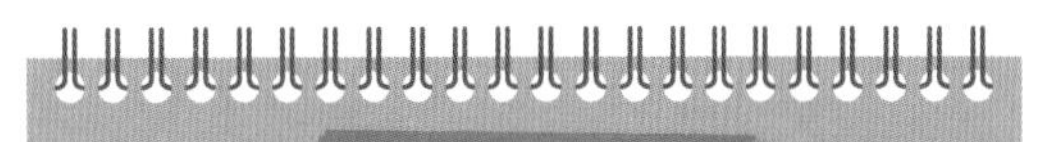

一次相続と二次相続

両親のどちらかが先に死亡したときの相続（配偶者がいる相続）を一次相続といい、のちに残されたもう一方の親が亡くなったときに発生する相続（配偶者がいない相続）を二次相続という。一次相続と二次相続の両方を経て、財産の世代移転が完了する。

住んでいる土地の評価額を下げる

Point

自宅や事業用など、相続人の生活の基盤となる小規模宅地には、大幅に評価を減額できる特例があります。

ココを押さえる!

- ☑ 居住用は330㎡まで80%減額、事業用は400㎡まで80%減額、貸付用は200㎡まで50%減額となる。
- ☑ 特例の適用を受けるためには、相続税の申告期限までに遺産分割できていることが必要である。
- ☑ 特例を使えば相続税がかからない場合でも、相続税の申告書は提出する必要がある。

居住用や事業用の土地は評価額が大幅に減額される

被相続人(ひそうぞくにん)が居住用または事業用として使っていた宅地を相続した場合は、一定の要件を満たすと、**評価額が80%(貸付事業用は50%)減額される制度**があります。これを、**小規模宅地等(しょうきぼたくちとう)の評価減の特例**といいます。

この特例の適用を受けるためには、原則として、**相続税の申告期限(相続開始日から10ヵ月以内)までに遺産分割が成立していることが必要**です。

ただし、遺産分割が完了していない場合でも、申告書に「申告期限後3年以内の分割見込書」を添付して期限内に申告をすませれば、**申告期限後3年以内に分割が成立したあとで更正(こうせい)の請求をする**ことによって、特例の適用を受けられます。ここで重要なのは、分割が成立した日の翌日から4ヵ月以内に申請することです。

なお、この特例は、相続税の申告をして初めて認められるものです。特例を使えば相続税がかからない場合も、相続税の申告書を提出する必要があります。

改正により、対象となる宅地の適用範囲が拡大された

この特例は、対象となる宅地を「誰が相続したのか」が適用要件となっています。

居住用宅地で適用される条件は、次の3つにまとめられます。まず、①配偶者は無条件で適用されます。②相続開始の直前に被相続人と同居していた親族が取得した場合には、申告期限まで所有・居住を継続することが条件となります。③配偶者も同居親族もいない場合に、持ち家のない親族(通称「家なき子」)が取得したときには、申告期限まで所有することが条件となります。

居住用宅地の限度面積は、2015年より330㎡に拡充されました。また、居住用330㎡と事業用400㎡を併用できるようになり、最大で730㎡まで80%減額できます。なお、貸付用がある場合には、限度面積の調整が必要です。

事業用宅地には、**貸付用宅地、特定事業用宅地**などがあり、それぞれに減額割合が異なります。

小規模宅地等の評価減の特例

被相続人（故人）が

居住用（自宅）や

貸付事業用（アパート経営など）として使っていた宅地

一定の要件を満たすと……

その宅地の評価額を80%（貸付事業用は50%）減らせる!

●宅地等の種類ごとの限度面積・減額割合の例と相続する人のおもな条件

宅地等の種類	限度面積	減額割合
特定居住用宅地	330㎡	80%
特定事業用宅地	400㎡	80%
貸付事業用宅地	200㎡	50%

Advice
減額される割合は、宅地の利用状況によって変わります。

特定居住用宅地を相続する場合

① 配偶者
・所有・居住の要件なし。

② 同居親族
・申告期限まで、所有・居住を続けること。

③ 持ち家のない親族（①②がいない場合）
・相続開始前３年以内に、自分、配偶者、３親等内の親族、同族関係法人のいずれかの所有する家屋に住んだことがないこと。
・相続開始時に居住する家屋を過去に所有していたことがないこと。

事業用宅地を相続する場合

① 貸付事業用宅地
貸付事業を引き継ぐ親族
・申告期限まで、所有・貸付事業を続けること。
・相続開始前3年以内に貸付事業の用に供された宅地は対象外（相続開始前3年を超えて事業的規模で貸付事業を行っていた場合は対象）。

② 特定事業用宅地
事業を引き継ぐ親族
・申告期限まで、所有・事業を続けること。
・相続開始前3年以内に、事業の用に供された一定の宅地は対象外。

二世帯住宅にしたり老人ホームに入居していたら?

二世帯住宅については、内部で行き来ができない区分構造の住宅についても、**同居と認められる**ようになりました。

ただし、1階を父の所有、2階を子の所有というように、家屋について**区分所有登記をしている場合には、同居とは認められず、特例が受けられません。**

被相続人が老人ホームなどに入所しており自宅に住んでいなかった場合でも、①**介護が必要なために入所した**こと、②**自宅を人に貸していなかった**こと等（新たに他者の居住用としないこと）、の2つの要件を満たしていれば、**被相続人の居住用宅地として特例の対象**となります。

アパート経営で節税できるの?

Point

資産を組み替えて投資用マンションを購入したり、自宅を賃貸併用住宅に建て替えたりするのも有効です。

ココを押さえる!

- ☑ 一戸建てを売却して、居住用マンションと賃貸用マンションに買い替えると相続税対策になる。
- ☑ 自宅を賃貸併用住宅に建て替えると、賃貸用部分は貸家建付地として評価されて評価額が低くなる。
- ☑ 賃貸経営で家賃収入を得ながら、相続税対策にもなる。

マンションに買い替えると節税にも分割対策にもなる

子どもたちが独立し、夫婦2人には広すぎる一戸建て。築40年の家屋は、修繕にもお金がかかります。日々の掃除や庭の手入れも大変なうえに、防犯面でも心配……。そこで、思い切って一戸建ての自宅を売却し、**便利な自宅用マンションと、賃貸用マンションに買い替え**ました。

このケースのようにマンション2室にしておくと、たとえば子どもが2人いる場合、不動産のまま分けることもできるので、**分割対策としても有効**です。

区分所有マンションの評価方法は、土地については、マンションの敷地全体の評価額に持ち分(登記簿に記載された敷地権割合)をかけて算出します。家屋については、区分所有部分の固定資産税評価額で評価します。

一般に、**預金や株式などの金融資産をマンションという不動産に換えることにより、相続税評価額が下がり**ます。たとえば、現金3000万円で中古マンションを購入した場合、物件にもよりますが、相続税評価額がおおむね1000万円程度になることもあります。

立地がよければ、自宅を賃貸併用住宅に建て替える

もし自宅が立地のよいところにあるのならば、自宅を**賃貸併用住宅に建て替える**ことを検討してもよいでしょう。ただし、建て替えには無理のない資金計画が不可欠です。

たとえば、3階建ての1階・2階を賃貸用アパートに、3階を居住用にした場合の評価方法について見ていきます。

土地の評価は、居住用部分に対応する3分の1は、自用地として評価します。賃貸用部分に対応する3分の2は、**貸家建付地**※として評価します。貸家建付地の評価額は、**自用地としての評価額から、借地権割合・借家権割合・賃貸割合を乗じたものを控除**します(具体的な計算方法については、次ページで解説しています)。

建物は、居住用部分は固定資産税評価額で評価します。賃貸用部分は、固定資産税評価額から借家権割合30%を控除します。

貸家建付地の評価方法

貸家建付地の計算式

評価額＝自用地としての価額×（1－借地権割合[※1]×借家権割合[※2]×賃貸割合[※3]）

※1 地域ごとに決められており、路線価図などで確認できる。
※2 全国一律30%
※3 全室の床面積のうち賃貸している床面積の割合（すべて賃貸していれば100%）。

Advice
自宅を賃貸併用にした場合は、居住用部分と賃貸用部分に分けて評価します。そして、賃貸用部分は貸家建付地として評価します。

例 評価額1億円の土地に、建築価額5,000万円のアパートを現金で建築した場合の評価方法は？
※建物の固定資産税評価額は3,000万円、借地権割合は70%、賃貸割合は100%とする。

土地の評価　貸家建付地としての評価額➡1億円×（1－0.7×0.3×1.0）＝7,900万円…❶
小規模宅地等の評価減（貸付用50%減）➡7,900万円×50%＝3,950万円…❷

土地の評価額：❶－❷＝3,950万円

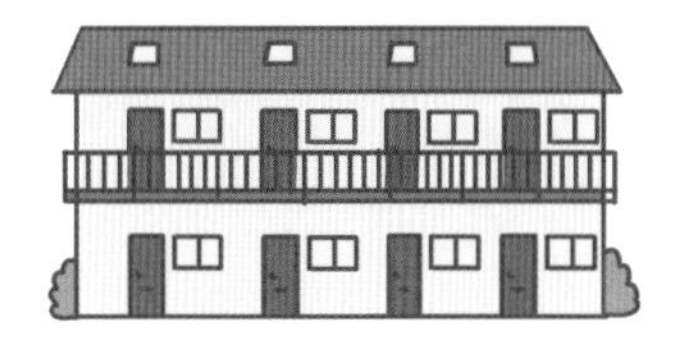

建物の評価　3,000万円×（1－0.3）＝**2,100万円**

建築前　**1億5,000万円**（土地1億円＋現金5,000万円）　V.S.　建築後　**6,050万円**（土地3,950万円＋建物2,100万円）

8,950万円の評価減

親名義のマンションに娘や息子が住んでいたら？

親名義のマンションの一室に娘や息子が住んでいた場合、その部屋も貸家として評価されるのでしょうか。判断のポイントとなるのが、**家賃の支払いがあったかどうか**です。

子に無償で貸している場合には、自用地・自用家屋として評価しますが、貸主である親に対して、**常識的な賃料を支払っているのであれば、貸家建付地・貸家として評価する**ことができます。

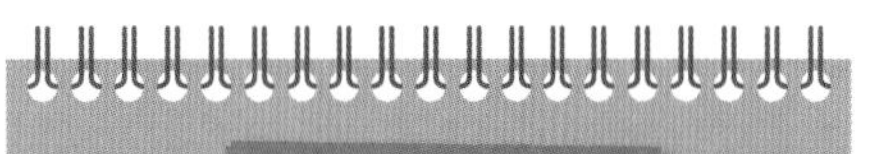

Key Word

貸家建付地（かしやたてつけち）

アパートやマンションなど賃貸用の建物を建てて人に貸している土地のことをいう。賃貸用建物の土地は、借家人が利用することになるため、地主が自由に使える自用地よりも評価は低くなる（→P.88）。

生命保険は節税にも納税対策にもなる

Point

生命保険は現金で受け取ることができるので節税対策だけではなく、分割対策や納税対策としても有効です。

ココを押さえる!

- ☑ 生命保険金には、「500万円×法定相続人の数」の非課税金額がある。
- ☑ 生命保険金は、代償分割における代償金の原資になる。
- ☑ 生命保険金は、納税資金としても活用できる。ただし、受取人は、相続税を納付する人にしておく必要がある。

生命保険金は非課税金額を控除できる

生命保険金は、保険契約に基づく受取人固有の財産であるため、遺産分割協議の対象にはなりません。しかし、税務上は、相続税の**みなし相続財産**(→P.68)として、相続税の対象となります。

相続人(そうぞくにん)が受け取った生命保険金には、「500万円×法定相続人(ほうていそうぞくにん)の数」の非課税金額があります。ちなみに、死亡退職金にも同様の非課税金額があります。

また、契約者を子、被保険者を父、受取人を子とする契約形態の場合、**父の死により支払われた保険金は子の一時所得として、所得税と住民税の対象**となります。このとき、相続税の税率が所得税の税率より高い場合には、節税できる場合があります(左ページのケース②参照)。

相続対策のための生命保険には、定期保険や養老保険ではなく、相続発生時に必ず支払われる**終身保険**が適しています。

生命保険を代償金の原資に納税資金としても使える

生命保険は**遺産分割をするときの対策**にも活用できます。たとえば、母のおもな財産である自宅を長男が相続する場合、長男からほかの兄弟へ代償金が必要となるケースがあります。このとき、契約者が母(または長男)、被保険者が母、受取人が長男という生命保険を契約していれば、長男は受け取った保険金でほかの兄弟へ代償金を支払えます。このような遺産分割を**代償(だいしょう)分割**といい、**保険金が代償金の原資(げんし)**となります。

では、同じ状況で受取人をほかの兄弟にしていた場合には、どのような弊害(へいがい)があるのでしょうか。保険金は受取人固有の財産なので、ほかの兄弟は保険金を受け取ったうえで、さらに自宅を相続した長男へ遺留分(いりゅうぶん)を請求できてしまいます。これは注意が必要でしょう。

また、相続税は、現金による一括納付が原則です。各相続人の相続税を試算したうえで、**受取人を相続税が生じる人にしておく**ことで生命保険を納税資金として活用できます。これをほかの相続人が受け取った保険金で払うと贈与したとみなされ、贈与税がかかってしまいます。

生命保険を利用して行う相続対策

ケース1 生命保険金の非課税枠を活用する

保険契約

契約者 夫　被保険者 夫　受取人 妻または子

「夫」が亡くなって、受取人である「妻または子」に生命保険金が支払われる。これは**みなし相続財産となり、相続税の対象**となる。

ポイント

生命保険金には非課税枠「500万円×法定相続人の数」があるので、同じ額を現金で残すよりも節税になる！

Advice

「500万円×法定相続人の数」の非課税枠が使えるのは相続人だけです。

ケース2 生命保険金の一時所得を活用する

保険契約

契約者 子　被保険者 父　受取人 子

「父」が亡くなって、受取人である「子」に生命保険金が支払われる。保険料を「子」が払っている保険契約の場合、「父」の死によって支払われた保険金は「子」の**一時所得となり、所得税と住民税がかかる。**

ポイント　**一時所得の金額＝（保険金−保険料−50万円）×1/2**となる。これに所得税（5〜45％）と住民税（10％）がかかる。相続税が高い税率でかかる場合は、一時所得のほうが有利となる場合がある。

ケース3 生命保険金を代償金として活用する

保険契約

契約者 母　被保険者 母　受取人 長男

母のおもな遺産は自宅の土地・建物で、それらはすべて「長男」が相続する。**長男は生命保険金を原資として、「次男」と「三男」に代償金を支払う。**

ポイント　「母」の生命保険の受取人を自宅の土地・建物を相続する「長男」としておくことで、**ほかの兄弟へ代償金を払わなければならないときに、すぐに使える現金として活用**できる！

不動産の売却には時間がかかる

相続税を納税するための金融資産が不足している場合には、相続した不動産を売却して納税資金にあてることもあります。しかし、不動産は希望の価額ですぐに売れるとはかぎりません。また、土地の測量や近隣との境界確定をするのにも、数ヵ月かかります。そもそも、誰が相続するのかが決まらなければ、売ることもままなりません。

そこで、被相続人の死亡後、手続きさえすませればすぐにでも**現金で受け取ることのできる生命保険を活用**します。あらかじめ**納税資金とするつもりで**保険契約しておけば安心です。

一次相続と二次相続のトータルで考える

Point

一次相続のときの遺産分割や遺言の内容を工夫することで、一次・二次トータルで相続税を軽減できます。

ココを押さえる!

- ☑ 二次相続では、相続税が高額になる可能性がある。
- ☑ 遺産分割協議をするときには、二次相続の相続税まで考えてから分け方を決めておくとよい。
- ☑ 遺言をつくる前に、税理士に一次相続・二次相続の相続税を試算してもらう。

二次相続の相続税まで考えて一次相続の遺産分割を決める

夫婦と子3人という家族で、まず父が、そのあと母が亡くなった場合について考えてみましょう。父が亡くなったときには、「夫婦で築いた財産なのだからすべてお母さんが相続すればいい」という意見でまとまる場合があります。このように配偶者がいる**一次相続**では、配偶者の税額軽減(→P.136)や小規模宅地等の評価減の特例(→P.156)があり、母がすべての財産を相続しても、相続税がかからないケースが多いのです。

ところが、**そのあとに母が亡くなったときの相続(二次相続)**では、母がもともと持っていた財産に父の遺産が加わります。そのうえ配偶者の税額軽減はなく、同居親族がいなければ原則として小規模宅地等の評価減の特例も使えません。その結果、多額の相続税がかかってしまうことになります。

こうした事態を避けるためにも、**一次相続と二次相続の相続税をトータルで考え、遺産分割の方法を決める**ことが大切です。

遺言をつくる前に、税理士に相続税の試算をしてもらう

一次相続で配偶者がすべての財産を相続するのではなく、**子にも相続させて多少の相続税を払っておいたほうが**、二次相続の相続税が少なくなり、結果として**一次相続・二次相続トータルでの相続税が軽減される場合があります。**

遺言をつくる場合にも、妻へすべての財産を相続させるのではなく、子にも相続させておきます。孫に遺贈することを考えてもよいでしょう。よく「遺言をつくりましょう」というと、すぐに公証役場へ行って公正証書遺言をつくろうとする人が多いのですが、ちょっと待ってください。公証人は相続税対策のアドバイスまではしてくれません。せっかく遺言をつくっても、相続税のことをまったく考えていない内容では、結局は遺産分割協議が必要となってしまいます。

税理士に一次相続・二次相続の相続税を試算してもらったうえで、遺言の内容を決めるのが、賢い方法といえます。

二次相続まで考えた遺産分割

例 家族構成：父　母　長男　長女　次女
父の遺産：1億円 母の財産：2,000万円

Advice
相続税の基礎控除は、「3,000万円＋(600万円×法定相続人の数)」です。

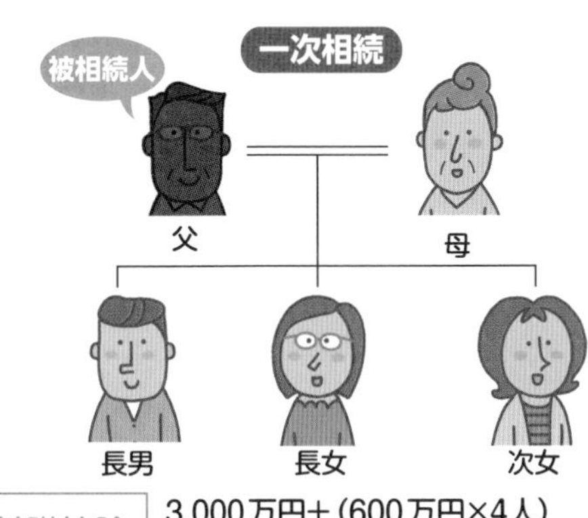

基礎控除 3,000万円＋(600万円×4人)
＝5,400万円

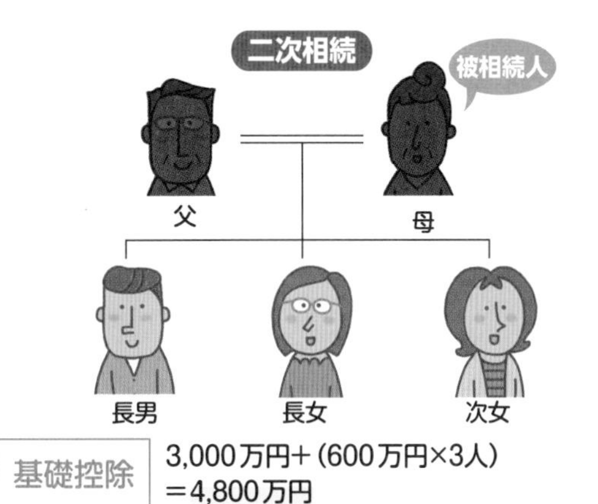

基礎控除 3,000万円＋(600万円×3人)
＝4,800万円

ケース1 一次相続で、配偶者がすべて相続した場合

	一次相続		二次相続		合計
	財産	税額	財産	税額	税額
母	1億円	0円	――	――	0万円
長男	0円	―	4,000万円	310万円	310万円
長女	0円	―	4,000万円	310万円	310万円
次男	0円	―	4,000万円	310万円	310万円
合計	1億円	0円	1億2,000万円	930万円	930万円

配偶者の税額軽減により0円

一次相続の1億円＋母の財産2,000万円

ケース2 一次相続で、各相続人が法定相続分を相続した場合

	一次相続		二次相続		合計
	財産	税額	財産	税額	税額
母	5,000万円	0万円	――	――	0万円
長男	1,667万円	77万円	2,333万円	73万円	150万円
長女	1,667万円	77万円	2,333万円	73万円	150万円
次男	1,667万円	77万円	2,333万円	73万円	150万円
合計	1億円	230万円	7,000万円	220万円	450万円

母が1/2、子が1/6ずつ

※四捨五入しているため、合計額は一致しません。

一次相続の5,000万円＋母の財産2,000万円

480万円の差！

遺産を寄附すると節税になるの？

Point

遺言で遺産を寄附した場合はもちろん、相続人が相続した財産から寄附しても、相続税はかかりません。

ココを押さえる！

- ☑ 遺言で財産を寄附することを遺贈という。このとき、遺言執行者を指定しておくとよい。
- ☑ 相続税の申告期限までに、国や一定の団体などへ寄附した財産については、相続税がかからない。
- ☑ 香典返しにかえて、香典を寄附することもできる。

応援している団体等へ寄附したいときは遺言を

自らの死後、お世話になった団体や応援している団体に財産を寄附したいという場合には、遺言に残しておくといいでしょう。遺言で財産を寄附することを**遺贈**といいます。関心のある団体へ遺贈することで、自分の想いやメッセージを家族に伝えることもできます。

遺言には、遺贈先の団体名称や遺贈する財産の内容を正確に記載することが必要です。遺言の内容を確実に実行してもらうためには、公正証書遺言（→P.48）を作成し、**遺言執行者**（→P.49）を定めておくようにします。

また、「不動産や株式は現金化のうえ寄附してください」という団体と、「不動産でも場合によってはOK」という団体があります。遺贈先の団体へあらかじめ確認しておいたほうがよいでしょう。

なお、**相続税の申告期限までに、国や地方公共団体、特定の公益法人、認定NPO法人などへ寄附した財産については、相続税がかかりません。**

相続した財産から寄附する 香典返しにかえて寄附する

相続人や受遺者が、相続や遺贈によって取得した財産を、相続税の申告期限までに、国や地方公共団体、特定の公益法人、認定NPO法人などへ寄附した場合にも、その寄附した財産については相続税がかかりません。

非課税の適用を受けるためには、遺贈先の団体から証明書類を発行してもらい、相続税の申告書に添付します。

また、葬儀でお香典をいただいた方々への**香典返しに代えて、故人が生前に応援していた団体等へ寄附する**こともできます。多くの団体では、遺族に代わって会葬者へ送るお礼状を用意しています。なお、いただいた香典には、もともと所得税や贈与税はかからないため、香典から寄附をする場合には、申告などの手続きは不要です。

故人が生前に応援していた団体や、関心を寄せていた社会問題に取り組む団体などに、寄附することも考えてみてはいかがでしょうか。

特定の団体へ遺贈（寄附）した場合は非課税となる

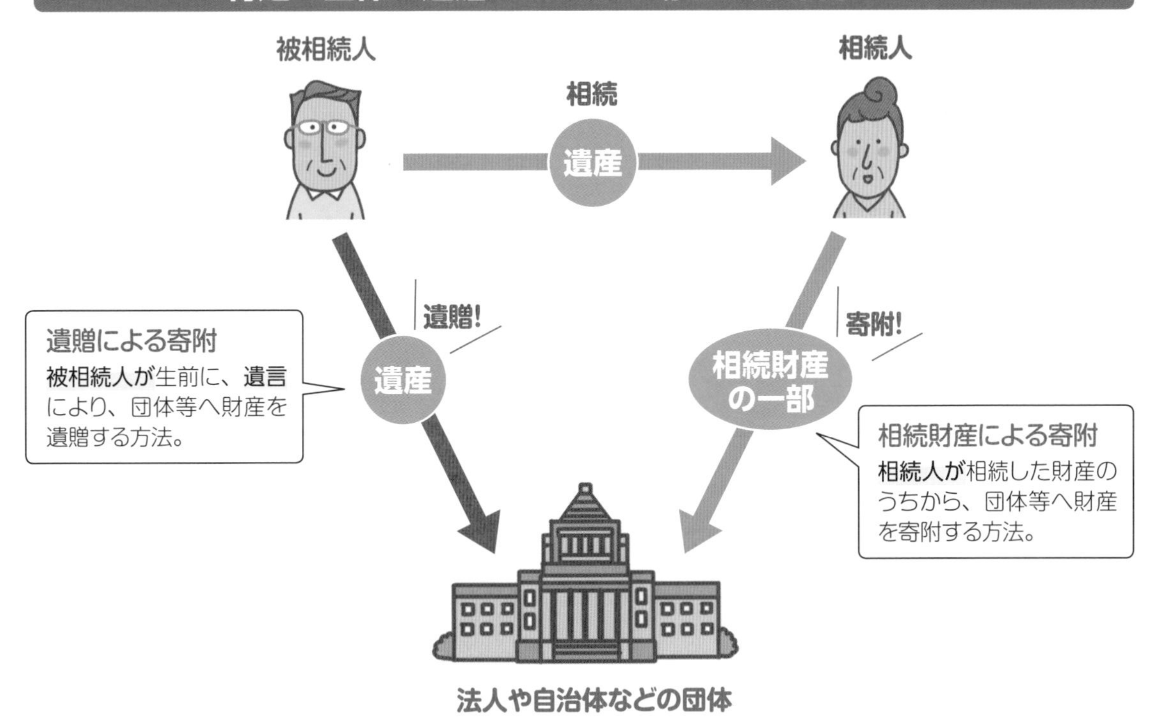

法人や自治体などの団体

相続税の申告期限までに、下記の団体等へ寄附した場合には、その寄附した財産については、相続税は非課税になる。

寄附した財産が非課税になる団体

●国　●地方公共団体　●認定NPO法人
●科学または教育の振興に著しく寄与する公益法人等

・独立行政法人
・国立大学法人、大学共同利用機関法人
・地方独立行政法人
・公立大学法人
・公益社団法人、公益財団法人
・私立学校法人
・自動車安全運転センター、
　日本司法支援センター、
　日本赤十字社、
　日本私立学校振興・共済事業団
・社会福祉法人
・更生保護法人

認定NPO法人に対して遺贈や寄附した場合には非課税となる

NPOとは、Non Profit Organization（非営利組織）の略で、NPO法人とは、正式には「特定非営利活動法人」といいます。

中でも、認定NPO法人とは、NPO法人のうち、以下の3つの要件を満たすものを指します。

①運営組織が適正であること
②事業活動が適正であること
③公益の増進に資することについて、一定の基準に適合したものとして、所轄庁（都道府県または指定都市）の認定を受けた法人であること

相続税の非課税の適用を受けられるのは、認定NPO法人に対して遺贈や寄附をした場合にかぎります。

あとは和彦くんだけでも大丈夫そうかな

はい 贈与については自分でも勉強しましたから
俺の家族のことだからしっかりやります

うん 頼もしいね

和彦くん

よかったらだけど
追加分のディナー前払いしてくれない?
東京にいる間に1回…

いいレストラン探しておきます

友里さん…次はいつ会えるかな~
は~~

やめときなよ兄さんなんて眼中にないって
ほっとけ

みんな
さっきの話の
続きだけど…

二次相続のことね

でも
いいのかな…

母さんが
亡くなったときの
話でしょ…

きちんと
話しておいた
ほうが母さん
も安心
ありがとう
母さん

で、具体的に
何を考えれば
いいんだ？

母さんにもしもの
ことがあったら
俺たち３人が
相続人となる
そのときの
相続財産は
もともと母さんが
持っていた財産と
今回母さんが
父さんから
受け継いだ
遺産の合計だ

相続人が減って
増えるから
相続財産は
一次相続のときより
相続税が高くなる
可能性もあるんだ
配偶者の
税額軽減も
使えなく
なるしな…

だから母さん
の相続財産を
減らしておく
方法を
考えよう
友里さんも
ちらっと
言ってたな…

●暦年贈与制度
贈与税額＝
（1年間に贈与を受けた金額－基礎控除110万円）
×税率－控除
たとえば生前贈与を活用する
年間110万円まで贈与税が非課税になる暦年贈与制度っていうのがあるんだ
たとえば母さんが俺たち３人にそれぞれ毎年110万円贈与しても
その分の税金はかからない
110万

その分将来の相続財産を減らせるわけね

それに贈与なら相続人以外に財産を渡すこともできるし
やよいの子どもたちにあげることもできるのね
愛美
直

孫名義の預金口座をつくって
積み立てている人もいるみたい
それじゃダメだよ

もし母さんが愛美ちゃん名義で口座をつくって
そこに預金してもそれだけじゃ贈与したことにならない

愛美ちゃんが口座の存在を知らず
通帳も印鑑も母さんが管理していたら名義預金となるからだ
つまり母さんの預金と見なされるのか
孫のため…
愛美

①60歳以上の親や祖父母から、18歳以上の子や孫へ贈与するとき、累計2,500万円までは贈与税がかからない
②累計2,500万円を超える分については、一律20%の税率で贈与税がかかる
③相続時には、本制度によって贈与を受けた金額も相続財産に含めて精算する ※2024年（令和6年）1月1日からは別途、年間110万円までの基礎控除が設けられる。

①マイホーム購入など、子が必要なときにまとまった金額を贈与したい
②自社株を後継者に受け継がせたい
③賃貸物件の贈与により、家賃収入を子や孫に移転したい

●贈与税の非課税制度の例

①住宅取得等資金の非課税制度

18歳以上の子や孫が親や祖父母から、マイホームを購入・建築するための資金をもらった場合、一定金額まで贈与税が非課税になる。

②教育資金の一括贈与に係る贈与税の非課税制度

30歳未満の子や孫が親や祖父母から、教育資金を一括でもらった場合、孫1人につき1,500万円（うち学校以外は500万円）まで贈与税が非課税になる。

俺も同じだよ…
先行きを考えると
どうしても不安で…
少しでも財産が
あればと思ってた
でもこうやって
頼れる家族が
いるほうが
心強いって
わかったよ…

母さんは
こうなるって
信じてたわ…

裕子
私たち5人は
どんなときも
互いに思いやって
助け合える
そんな家族に
なろうな…
ええ…あなた
きっと
そうなるわ

父さんは
もういないし
みんなそれぞれの
暮らしがあるけど

俺たちは
どんなときだって
家族なんだ

お父さん…
私たち、あなたが
思い描いたとおりの
家族になってるわ

でも愛人は
許さない
いないって！
なんて
冗談よ
これからも
見守ってね

なぜ贈与が相続税の節税になるの？

Point

暦年課税の基礎控除は110万円。時間をかけて少しずつ贈与することで、相続税の節税になります。

ココを押さえる！

- ☑ 贈与税の暦年課税制度の基礎控除額は年間110万円。
- ☑ 相続開始前※7年以内の贈与は、相続税の対象となる。
- ☑ 生活費や教育費にあてるために取得した財産で、通常必要と認められるものには、贈与税はかからない。

基礎控除110万円の暦年贈与で毎年少しずつ贈与する

1月1日から12月31日までの1年間に、個人から贈与を受けた財産の合計額が、贈与税の**基礎控除額110万円**を超える場合には、その超える部分の価額に対して、**10〜55%**の税率で贈与税がかかります。18歳以上の子や孫などが父母や祖父母など直系尊属から贈与を受けた場合には、税率が優遇されています。

贈与を受けた人は、贈与年の**翌年2月1日から3月15日まで**に、住所地の所轄税務署に贈与税の申告・納税をします。

贈与税の税率は、相続税の税率よりも高くなっています。しかし、贈与税には年間110万円の基礎控除があるため、基礎控除の範囲内で毎年贈与することにより、相続財産を減らして、相続税を節税することができます。**基礎控除の110万円は、相続人だけではなく、子の配偶者や孫など誰でも使えます。**

生前贈与は、早くはじめて、時間をかけて少しずつ、多くの人に贈与したほうが、相続税の軽減になります。

税制改正により、**相続開始前7年以内の贈与は相続税の対象となります**※（贈与時に支払った贈与税があれば相続税から控除）。ただし、**経過措置として、延長した4年間（2027年〜2030年中、相続開始前3年超7年以内）に受けた贈与については、合計100万円までは相続財産に加算しません。**

生活費や教育費のために贈与された財産は非課税

夫婦や親子、兄弟姉妹などの**扶養義務者**から**生活費**や**教育費**にあてるために取得した財産で、**通常必要と認められるもの**には、贈与税はかかりません。

非課税となるのは、生活費や教育費として**「必要な都度」「直接これらにあてるためのもの」**にかぎります。生活費や教育費の名目で贈与を受けた場合でも、それを預金しておいたり、株式や不動産などの購入資金にあてたりした場合には贈与税がかかります。

香典、年末年始の贈答、祝物、見舞いなどの金品で社会通念上相当と認められるものについても贈与税はかかりません。

※2024（令和6）年1月1日の贈与から適用。

贈与税の計算（暦年課税制度）

例 8月15日に父から80万円の贈与、12月30日に祖母から100万円の贈与を受けた。

贈与税の計算式

課税価格 ＝1年間に贈与を受けた金額－基礎控除110万円

贈与税額 ＝課税価格×税率－控除額

①その年に贈与を受けた金額を合計する
80万円＋100万円＝180万円

②その年の課税価格を算出する
180万円－110万円（基礎控除）＝70万円

③贈与税額を算出する
70万円×10%＝**7万円**
（200万円以下）（速算表より）

18歳以上の子や孫が、父母や祖父母などから贈与された財産に適用される税率は、有利になっている。

Advice
暦年贈与の「年間」は、「贈与があったときから1年」ではなく、毎年「1月1日から12月31日まで」のことを指しています。

贈与税の速算表

① 18歳以上の者が直系尊属から贈与を受けた場合

課税価格（基礎控除後）	税率	控除額
200万円以下	10%	──
400万円以下	15%	10万円
600万円以下	20%	30万円
1,000万円以下	30%	90万円
1,500万円以下	40%	190万円
3,000万円以下	45%	265万円
4,500万円以下	50%	415万円
4,500万円超	55%	640万円

② ①以外の場合

課税価格（基礎控除後）	税率	控除額
200万円以下	10%	──
300万円以下	15%	10万円
400万円以下	20%	25万円
600万円以下	30%	65万円
1,000万円以下	40%	125万円
1,500万円以下	45%	175万円
3,000万円以下	50%	250万円
3,000万円超	55%	400万円

「あげたつもり」は贈与にならない！

Point

相続税の税務調査で「名義預金」とされないためにも、贈与の証拠を残しておくことが大切です。

ココを押さえる！

- ☑「あげたつもり」「もらったつもり」では、贈与したことにならない。
- ☑ 贈与契約書をつくるなど、贈与の証拠を残すこと。
- ☑ 贈与税の申告・納税をすれば、贈与の証拠にもなる。

生前贈与の注意点①
「あげたつもり」ではダメ

たとえば、ある母親が相続対策のつもりで、娘には内緒で、毎年110万円を娘の名義の口座に預金していたとします。ところが、娘はそのことを知らず、通帳や印鑑も母が管理しています。10年後、母が亡くなり、娘名義の預金は1100万円になっていました。

一見、贈与税の暦年課税制度をうまく活用しているように見えますが、この場合、実質的には母親の預金であるとみなされ、相続税の対象になってしまいます。これを**名義預金**といいます。

贈与は「あげますよ」「もらいますよ」というお互いの意思疎通があって初めて成立するものです。このケースのように**「あげたつもり」では残念ながら贈与したことにはならない**のです。贈与を受けた人が、贈与されたお金を自由に使える状態になっていなければ、贈与したとはいえません。

したがって、通帳や印鑑は、贈与した人（親・祖父母）ではなく、贈与を受けた人（子・孫）が管理するようにしておくことが必要です。

生前贈与の注意点②
「もらったつもり」もダメ

ある主婦のケースを見てみましょう。主婦のAさんは、夫の給料や退職金の約半分を自分名義で預金してきました。夫が亡くなったとき、夫名義の預金は2000万円。Aさん名義の預金は、夫よりも多く3000万円ありました。Aさんは結婚以来ずっと専業主婦で収入はなく、親から相続した財産もありません。

このとき、Aさんは、夫名義の預金だけを相続税申告の対象にすればよいかというと、そうではありません。実質的にはAさん名義の預金も、亡くなった夫の財産であるとみなされ、相続税の対象になります。

これらのケースのように、税務調査で名義預金と認定されないようにするには、たとえ親子や夫婦など親族の間であっても、贈与が成立していることを証明するために、**贈与の証拠を残しておくこと**が大切です。

贈与の証拠を残す方法

1. 親が子の名義で口座をつくる
2. 年間110万円以下の金額を預金（子に内緒!）
3. 親の死後、自分名義の通帳（口座）を発見したが…

✕ 贈与したことにならずに
子名義の預金（名義預金）も相続税の対象となる!!

どうすればいいの?

「贈与の証拠」を残す必要がある

1. 贈与の都度、**贈与契約書**をつくる
2. 贈与は現金ではなく、**贈与を受ける人が日常使っている口座へ振り込み**で行う
3. 通帳や印鑑は、**贈与を受ける人が管理**する
4. **贈与税の申告**・納税をする

あえて基礎控除額の110万円を少し超える金額の贈与を行い、贈与税の申告・納税をすることにより、贈与の証拠を残している人もいる。

例
111万円の贈与 → 贈与税1,000円
120万円の贈与 → 贈与税1万円

税務調査を見越して資料などを整理しておく

相続税の税務調査は、申告後半年から1年半後くらいまでに行われます。調査対象となるのは、

- 遺産額が高額な場合
- 生前の所得が多いのに申告額が低すぎる場合
- 相続直前に多額の預金が引き出されているのにそれが申告されていない場合

などです。調査では、被相続人の経歴や相続人の職業、財産形成の経緯や資産の管理状況などについて聞かれます。預金通帳（過去5年分程度）、印鑑、権利書、契約書などもチェックされるほか、自宅の金庫や銀行の貸金庫も確認を求められます。

金融機関での預金取引や証券取引の調査は、被相続人だけでなく、相続人やその配偶者、孫のものについても行われます。名義預金がないか、贈与やお金の貸借がないかなどを調べるためです。そのため、税務調査を見越して、これらの資料をきちんと整理して保管しておくようにしましょう。

生前に財産を贈与し相続時に精算する制度もある

Point

相続時精算課税制度は、累計2,500万円の控除額がありますが、相続のときには相続税の対象となります。

- 相続時精算課税制度には累計2,500万円の控除額がある（2,500万円を超える部分には一律20%の贈与税）。
- 相続時精算課税制度で贈与を受けた財産は、相続のときに相続税の対象となる。
- 一度、相続時精算課税を選択すると、同じ贈与者からの贈与については、暦年課税には戻れない。

２５００万円まで贈与税はかからないが、相続時に精算される

親世代から子世代への生前贈与による財産の積極的な移転を後押しし、子世代に消費をしてもらって景気を活性化しようという目的でつくられたのが、**相続時精算課税制度**です。

この制度を選択する旨を税務署へ届け出た場合には、**60歳以上の父母または祖父母から18歳以上の子または孫への贈与**について、**累計2500万円**までは贈与税がかかりません。加えて税制改正により、２０２４（令和６）年1月1日以後、同制度を選択して贈与を行った場合は年間１１０万円までの基礎控除を適用できます。特別控除２５００万円と年間１１０万円を超える分については、**一律20%**の税率で贈与税がかかります。

しかし、相続が発生したときには、この制度を使って贈与を受けた金額については、たとえ何年前の贈与であっても、相続財産に含めて精算します（新設された年間１１０万円までの基礎控除分は、相続財産に含めません）。相続時精算課税制度は贈与時に贈与税がかからなくても、相続時には相続税がかかるわけです。ただし、贈与時に支払った贈与税があれば、相続税から差し引きます。

相続時精算課税制度は一度選択すると取り消せない

原則として相続税の節税にはならず、あとで相続税がかかるので、相続税の納税資金についても考慮しておく必要があります。

受贈者ごと、かつ贈与者ごとに、相続時精算課税制度の適用を受けるかどうかについて選択できます。ただし、**いったん相続時精算課税制度を選択すると、同じ人からの贈与については、暦年課税制度には戻れません。**

贈与時の価額で、相続時に相続税を計算します。不動産や株式など価額が変動する財産は、贈与時より相続時に価額が下がった場合でも、贈与時の高い価額で相続税を計算しなくてはなりません。

なお、孫への遺贈や相続時精算課税制度による贈与については、相続税の２割加算（→P.１３６）の対象となります。

相続時精算課税制度の活用例

① マイホームの購入など、子が必要なときにまとまった金額を贈与する

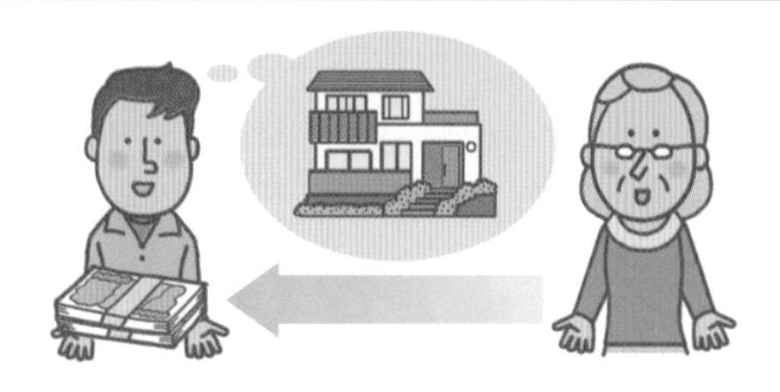

② 自社株を後継者に承継させる

➡ 自社株の株価引き下げ対策をしたうえで、後継者へ贈与する。その後、自社株の評価額が上がっても、贈与時の低い価額で相続税を計算できる。

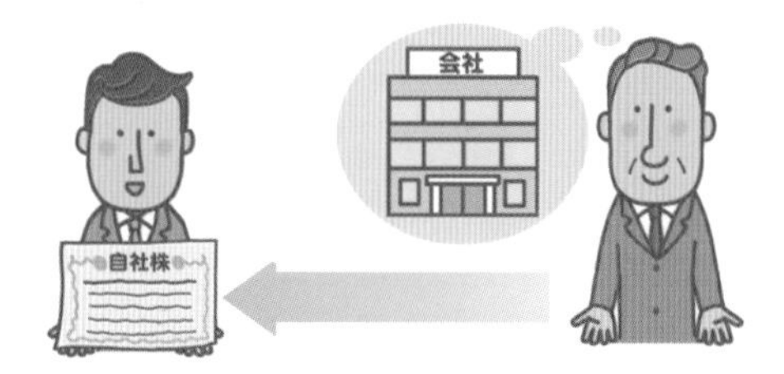

③ 賃貸物件の贈与により、家賃収入を子や孫に移転させる

➡ 家賃収入が直接、子や孫に入ることになり、相続財産がこれ以上増加するのを防ぐことができる。

例
- ●相続人は子1人
- ●相続時精算課税制度を利用
- ●生前、2回に分けて2,000万円と1,500万円の贈与を行った
- ●上記2回の贈与後、残った相続財産は3,000万円とする

贈与時

【1回目の贈与　2,000万円】
2,000万円−110万円（基礎控除）−1,890万円（特別控除）＝0円 ➡ **贈与税 0円**
※特別控除の残額＝2,500万円−1,890万円＝610万円

【2回目の贈与　1,500万円】
1,500万円−110万円（基礎控除）−610万円（特別控除）＝780万円
贈与税＝780万円×20％＝156万円 ➡ **贈与税 156万円**
（税率は一律20％）

相続発生時

課税価格＝3,000万円+精算課税贈与（1,890万円+1,390万円）＝6,280万円
課税遺産総額＝6,280万円−基礎控除3,600万円＝2,680万円
相続税の総額＝2,680万円×15％−50万円＝352万円
相続税＝352万円−贈与税額控除156万円＝196万円 ➡ **相続税 196万円**
（贈与時に支払った贈与税は控除される）

※110万円（基礎控除）は、2024年1月1日以降の贈与から適用されます。

おしどり夫婦の特例、「贈与税の配偶者控除」とは？

Point

婚姻期間20年以上の配偶者にマイホームを贈与する場合には、2,000万円の配偶者控除があります。

ココを押さえる！

- ☑ 婚姻期間20年以上の配偶者へマイホームを贈与した場合には、2,000万円まで贈与税は非課税となる。
- ☑ 非課税の対象となるのは、自宅の建物や土地、または自宅を取得するための資金である。
- ☑ 特例を受けるためには、贈与税がかからなくても贈与税の申告はする必要がある。

おしどり夫婦の特例 贈与税の配偶者控除とは？

贈与税には、通称「おしどり夫婦の特例」と呼ばれる配偶者控除があります。たとえば、長年連れ添った妻に、何か特別なプレゼントをしたいという人にはぴったりです。

婚姻期間20年以上の配偶者にマイホームを贈与した場合に、**2000万円まで贈与税を非課税**とする制度です。暦年贈与制度の基礎控除110万円と合わせると、2110万円まで非課税で贈与できます。非課税の対象となる贈与は、**自宅の建物や土地、または自宅を取得するための資金**です。現在、住んでいる自宅の持ち分を非課税の範囲内で贈与することもできます。

不動産の贈与と現金の贈与のどちらが有利かといえば、通常は現金を贈与してから自宅を購入するよりも、自宅である不動産を贈与したほうが断然有利です。というのも、土地の評価は路線価（公示価格の約8割）ですし、建物の評価は固定資産税評価額（建築費の約5～7割）で現金より評価が低くなるからです。

贈与税がかからなくても 贈与税の申告は必要

通常、相続開始前3年以内の贈与については相続税の対象となります。しかし、この特例による贈与については、相続税の対象にはなりません。

ただしこの制度は、贈与税の申告をして初めて認められる特例です。したがって、**たとえ贈与税がかからなくても、贈与税の申告は必要**です。

ほかには、贈与の場合の登録免許税※は相続の場合に比べて高いこと、相続の場合には不要な不動産取得税※がかかることなどの注意点があります。

また、贈与をしたことにより、かえって配偶者の財産が増えて二次相続の相続税が増加してしまう場合もあります。二次相続の相続税を試算したうえで、この特例の活用を考えるようにしたほうがいいでしょう。なお、のちに夫婦共有の自宅を売却して利益が出た場合には、夫と妻のそれぞれについて、所得税の特例である3000万円特別控除が使えます。

贈与税の配偶者控除

贈与税の配偶者控除（おしどり夫婦の特例）

対象：自宅の建物や土地そのもの、または自宅を取得するための資金
控除額：2,000万円まで
適用要件：

- ☑ 婚姻期間20年以上の夫婦間の贈与であること。
- ☑ 居住用不動産または居住用不動産取得のための資金の贈与であること。
- ☑ 贈与された居住用不動産に翌年3月15日までに居住し、そのあとも引き続き居住する見込みであること。
- ☑ 同一の配偶者からの贈与で、この制度の適用を受けたことがないこと。
- ☑ 贈与税の申告を行うこと。

例 自宅購入資金として、夫が妻に3,000万円贈与した。

Advice
もし適用要件にあてはまり、自宅を購入する予定がある場合は、不動産の取得を配偶者名義または夫婦共有名義で行うのも手です。

ケース1 特例を利用しない場合

贈与税＝(3,000万円－110万円)×50%－250万円＝**1,195万円**

（50%：税率）

ケース2 特例を利用した場合

贈与税＝(3,000万円－2,110万円)×40%－125万円＝**231万円**

（2,110万円：配偶者控除2,000万円+基礎控除110万円）（40%：税率）

964万円もお得に!

プラス1ポイント

マイホームを売ったときの所得税の特例

マイホーム（居住用財産）を売ったときは、所有期間の長短に関係なく、譲渡所得から最高3,000万円まで控除できる特例があります。これを**「居住用財産を譲渡した場合の3,000万円特別控除の特例」**といいます。自分が住んでいる家を売るか、家とともにその敷地を売った場合が対象となります。ポイントは土地だけでなく、家屋もあわせて贈与することです。

夫婦が共有で所有している自宅を売った場合には、夫と妻それぞれが3,000万円の特別控除を使えます。

Key Word

登録免許税・不動産取得税

不動産を取得したときには、登記簿への登記が必要となり、取得原因（相続、贈与、売買など）に応じて登録免許税がかかる。

不動産取得税とは、土地や家屋を売買や贈与により取得したときにかかる税のこと。

マイホーム資金の贈与は非課税となる

Point

父母や祖父母からマイホーム取得資金の贈与を受けた場合には、一定の金額が非課税となる制度です。

ココを押さえる！

- ☑ 18歳以上の子や孫が、父母や祖父母から住宅取得資金の贈与を受けた場合には、一定の金額が非課税となる。
- ☑ この制度を使う場合には、たとえ贈与税がかからなくても、贈与税の申告はする必要がある。
- ☑ 相続時精算課税制度と併用することもできる。

父母や祖父母からマイホーム取得資金の贈与を受けたとき

住宅取得等資金の贈与の非課税制度とは、**18歳以上の子や孫**が、父母や祖父母などの直系尊属から、**マイホームを取得するための資金の贈与**を受けた場合には、一定の金額について**贈与税が非課税**となる制度です。

マイホームとしての住宅は、一戸建てでもマンションでも、新築でも中古でもOKです。**床面積が40㎡以上240㎡以下の住宅**が対象となります。なお、中古住宅の場合には、新耐震基準に適合するものが対象です。建築日が１９９２年以降であれば、証明する必要はありません。**リフォームについては、工事費用が100万円以上**のものが対象となります。

贈与を受ける人には所得制限があり、贈与を受けた年の合計所得金額２０００万円以下の人がこの制度を使えます（床面積が40㎡以上50㎡未満の場合は、所得金額が１０００万円以下に限る）。

なお、この制度を使って贈与を受ける場合には、たとえ贈与税はかからなくても**贈与税の申告は必要**です。

相続時精算課税との併用も小規模宅地等の評価減も考慮

住宅取得等資金の贈与の非課税と相続時精算課税制度（→P.176）は併用も可能です。たとえば20歳以上の孫が、祖父から住宅取得資金として１０００万円、相続時精算課税制度で２５００万円の合計３５００万円の贈与を受けた場合、贈与時に贈与税はかかりません。ただし、住宅取得等資金については非課税ですが、相続時精算課税での贈与分はあとで相続税の対象となるため、注意が必要です。

また、**小規模宅地等の評価減の特例（→P.156）との兼ね合いを考慮**したほうがよいケースもあります。通称「家なき子（持ち家のない親族）」が被相続人の居住用宅地を相続した場合には、小規模宅地等の評価減の特例を受けられる場合があります。ところが、住宅取得資金の贈与を受けてマイホームを取得すると、「家なき子」ではなくなり、小規模宅地等の評価減の特例は受けられなくなってしまいます。

住宅取得等資金の贈与の非課税制度

1 適用期限

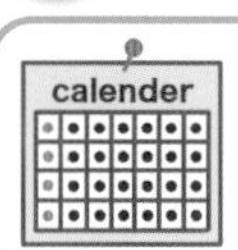

2026(令和8)年12月31日までに行われた贈与分

Advice
住宅取得等資金の贈与の非課税制度の適用を受けるためには、申告することが要件です。贈与税が0円であっても申告しなければなりませんので、ご注意ください

2 非課税限度額

●省エネ・耐震・バリアフリーの住宅用家屋

1,000万円

●左記以外の住宅用家屋

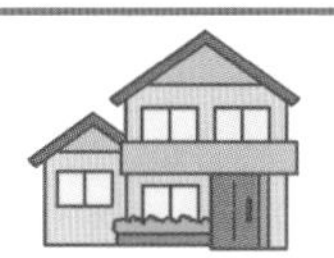

500万円

※2022年度税制改正により、新築等にかかる契約締結時期は考慮しないこととなった。
※「省エネ・耐震・バリアフリーの住宅用家屋」とは、①省エネルギー性の高い住宅（エネルギーの使用の合理化に著しく資する住宅用の家屋）、②耐震性に優れた住宅（大規模な地震に対する安全性をもつ住宅用の家屋）、③バリアフリー性の高い住宅（高齢者などが自立した日常生活を営むのに必要な構造・設備をもつ住宅用の家屋）のいずれかに当てはまるものをいう。

3 適用対象となる住宅用家屋の要件 ※下記のいずれかに該当するもの

- 建築後、**使用されたことのない**住宅用家屋である。
- 建築後、使用されたことのある住宅用家屋で、**1982（昭和57）年1月1日以後に建築**されたものである。
- 建築後、使用されたことのある住宅用家屋で、**地震に対する安全性の基準に適合するもの**（一定の書類などで証明されたもの）である。
- 上記のいずれにも該当せず、建築後、使用されたことのある住宅用の家屋で、**耐震改修を行うことについて都道府県知事などに申請**し、かつ**贈与を受けた翌年3月15日までに耐震基準に適合するもの**（一定の書類などで証明されたもの）であること。

Advice
増改築等の場合も、要件を満たせば適用対象となります。詳しくは国税庁のホームページなどを確認してください

贈与を受けた住宅資金は特別受益に該当する！

住宅取得等資金の贈与の非課税制度は、あくまでも贈与税が非課税になるという規定です。そのため、遺産分割の際の特別受益（→P.106）の免除まではしてくれません。

たとえば、長男だけが住宅購入時に父から非課税制度を使って贈与を受けたとすると、他の相続人から遺産分割協議の際に、その贈与分を特別受益として扱うように求められることが考えられます。住宅購入時の贈与を特別受益として扱うかどうかが原因で、相続人間でもめてしまうこともあります。

トラブルを回避する方法としては、他の相続人にも平等に贈与するとか、遺言書を作成しておくなどの方法が考えられます。

教育や結婚・子育て資金は一括で贈与！

Point

教育資金は1,500万円、結婚・子育て資金は1,000万円まで非課税で贈与できる、期間限定の新しい制度です。

ココを押さえる！

- ☑ 教育資金の一括贈与は、30歳未満の孫などへ1,500万円（うち習いごとは500万円）まで非課税となる。
- ☑ 結婚・子育て資金の一括贈与は、18歳以上50歳未満の孫などへ1,000万円（うち結婚資金は300万円）まで非課税となる。
- ☑ 結婚・子育て資金は、贈与者が死亡したときに残額がある場合には、相続税の対象になる。

教育資金の一括贈与が非課税になった！

教育資金の一括贈与に係る贈与税の非課税制度とは、**30歳未満の子や孫などが父母や祖父母などから教育資金を一括で贈与された場合**、孫1人につき**1500万円（うち学校以外は500万円）まで贈与税を非課税**とする制度です。

銀行等で、教育資金専用の孫名義の預金口座をつくり贈与します。実際に教育費を支払ったときには、領収書を銀行等へ提出する必要があります。

この制度は**「一括で」贈与しても非課税というのがポイント**です。もともと「必要な都度」、孫の教育費を出してあげる分には、贈与税はかかりません。しかし、孫が高校生や大学生になるまで自分が元気でいられるとはかぎりません。そこで、この制度を使って一括で贈与しておくことで、将来孫が大きくなったときに、贈与を受けた資金を教育費にあてることができます。

なお、子や孫（受贈者）が30歳になったときに教育費として使いきれなかった残額は、贈与税の対象となります。

結婚や子育ての資金の一括贈与も非課税に！

結婚・子育て資金の一括贈与の贈与税の非課税制度とは、**18歳以上50歳未満の子や孫が、父母や祖父母などから結婚・子育て資金**にあてるために、一定の贈与を受けた場合には、**1000万円（うち結婚資金は300万円）まで**について、**贈与税が非課税**となる制度です。

結婚資金とは、挙式費用、衣装代等の婚礼（結婚披露）費用、家賃・敷金等の新居費用、転居費用など（300万円を限度）です。子育て資金とは、不妊治療・妊婦健診に要する費用、分べん費等・産後ケアに要する費用、子の医療費、幼稚園・保育園等の保育料などです。

信託契約の期間中に贈与者が死亡した場合には、残額は贈与者から相続または遺贈により取得したものとみなされ、相続税の申告が必要となる場合があります。また、孫などの場合には相続税の2割加算（→P.136）が適用されます。

教育資金の一括贈与と結婚・子育て資金の一括贈与の非課税制度

Advice
経済的不安から結婚・出産を躊躇する若者世代の支援を促すために新設された制度。
父母や祖父母世代の資産を早期に子や孫世代に移すことで、相続税対策にもなります。

	教育資金の一括贈与	結婚・子育て資金の一括贈与
適用期間	2013年4月1日～2026年3月31日	2015年4月1日～2025年3月31日
受贈者	30歳未満の子や孫など（所得1,000万円超の人は除く）	18歳以上50歳未満の子や孫など（所得1,000万円超の人は除く）
贈与者	父母や祖父母など直系尊属	父母や祖父母など直系尊属
非課税限度額	受贈者１人につき1,500万円（うち学校以外は500万円）	受贈者１人につき1,000万円（うち結婚資金は300万円）
贈与者の死亡時	残額は相続税の対象となる（23歳未満や在学者等を除く、孫などについては相続税の2割加算の適用あり） ※贈与者の死亡時の財産から５億円を超える場合に対象となる（2023年４月１日以降の契約にかかるもの）。	残額は相続税の対象となる（孫などについては相続税の２割加算の適用あり）

結婚・子育て資金の一括贈与のしくみ

年齢	内容	贈与を受けた資金の残額
25歳	祖父から**1,000万円**「結婚・子育て資金」の一括贈与を受ける	1,000万円
30歳	結婚：挙式・披露宴費用、住居費用として**300万円**使用	700万円
32歳	出産（長男）：妊娠・出産費用として**100万円**使用	600万円
33歳	子育て：保育費・医療費として**100万円**使用	500万円

贈与者である祖父が死亡した → 死亡時点の残額について**相続税**がかかる！

使い切れずに50歳を迎えた → 50歳時点での残額について**贈与税**がかかる！

孫への投資が相続税対策にもなる

子どもにはなるべくいい教育を受けさせたいと思うのが親心ですが、日本の教育費は高すぎます。生まれてから大学・大学院まで1,000万円～2,000万円かかります。習いごとや海外留学をさせたくても余裕がない、教育費が高いために2人目の子どもはあきらめるという若い夫婦もいます。

一方で、長寿化にともなう「老老介護」が社会問題となっています。老後を安心して任せることができるのは孫世代なのです。

教育資金の一括贈与をうまく利用すれば、贈与税・相続税ともに払わなくてすむ場合もあります。今、かわいい孫に教育資金を贈与して立派な社会人になってもらい、将来、その孫に大事にしてもらうのが、一番確実な投資ではないでしょうか。

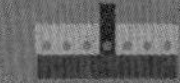

巻末付録！

相続税の申告書類の見方

国税庁のホームページには、「相続税の申告のためのチェックシート」が用意されています。申告漏れや書類の添付忘れなどのないように、注意事項をまとめたもので、申告の際はこのチェックシートも添付して提出するようにすすめています。

申告書類の作成を税理士に依頼した場合は、このチェックも含めて税理士が行ってくれますので、申告者自身が行う必要はありません。ただし、専門家の力を借りずに申告作業をする場合や、専門家が作成してくれたものを自身の目でも確認したいという場合には、次の点に着目して見ていくようにするといいでしょう。

記載の順序

申告書は、第1表から第15表まであります。一般の場合※、下図で示したような順序で各表を記載していきます。記載内容を確認する際は、どの部分がリンクしているのかという観点で見ていくといいでしょう。

※「一般の場合」とは、相続時精算課税適用者または相続税の納税猶予などの特例の適用を受ける人がいない場合をいいます。

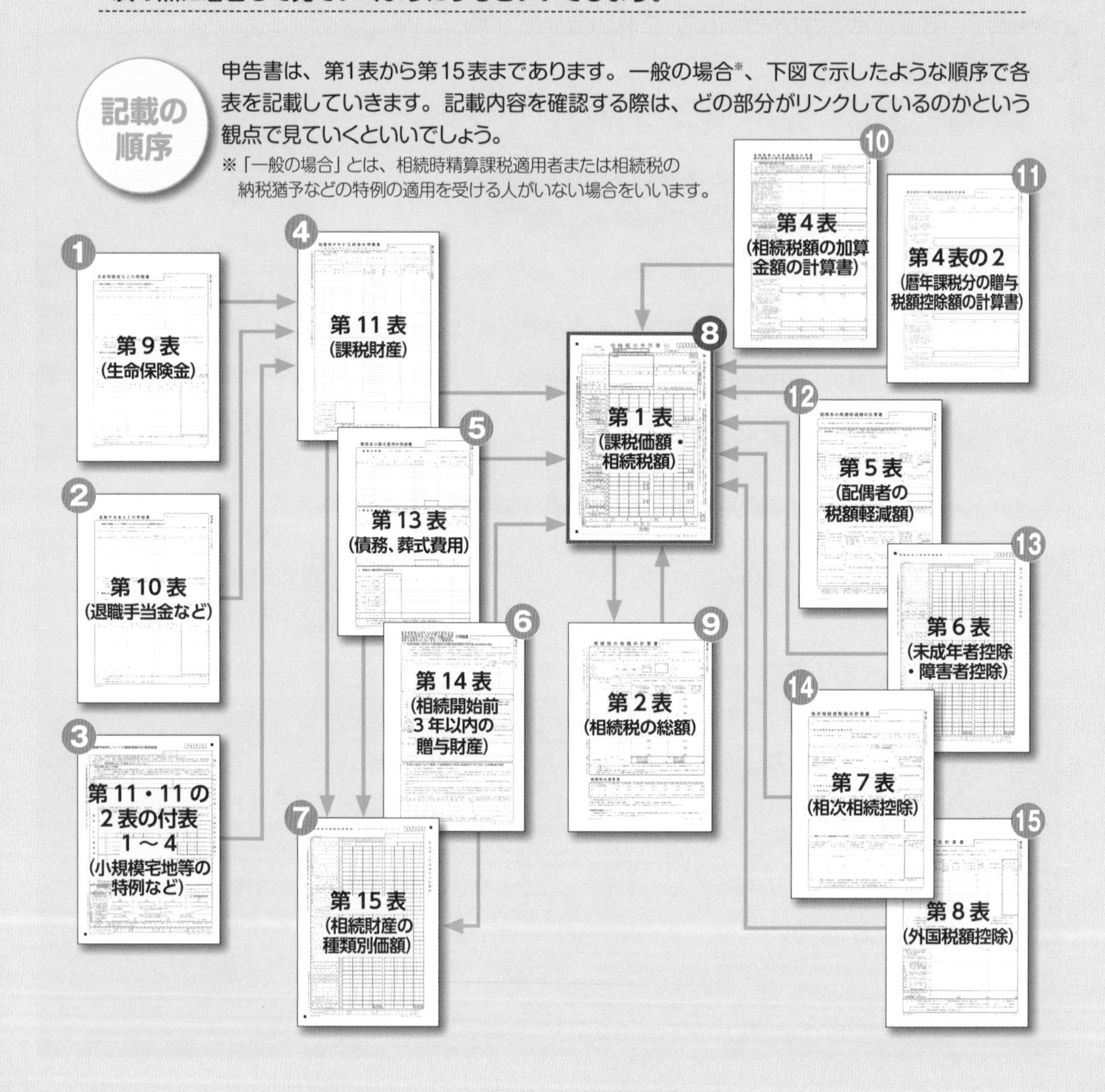

第1表　相続税の申告書

相続人が複数いる場合は、「相続税の申告書(続)」に2人目以降の相続人について記入する。

相続人のマイナンバー(個人番号)を記入する

相続開始日における年齢を記入する

相続税の申告書

玉川　税務署長
令和5年1月8日提出

相続開始年月日 令和3年4月11日

修正　　FD3563

※申告期限延長日　年　月　日

○フリガナは、必ず記入してください。

	各人の合計	財産を取得した人
フリガナ	(被相続人) ナツメ タロウ	ナツメ ハナコ
氏名	夏目 太郎	夏目 花子　(参考)
個人番号又は法人番号		012345678901
生年月日	昭和20年12月10日(年齢75歳)	昭和23年5月2日(年齢72歳)
住所(電話番号)	東京都世田谷区用賀X丁目X番地X号	〒158-0097 東京都世田谷区用賀X丁目X番地X号 (03 − XXXX − XXXX)
被相続人との続柄 / 職業	なし	妻 / なし
取得原因	該当する取得原因を○で囲みます。	相続・遺贈・相続時精算課税に係る贈与
※整理番号		

区分	項目	番号	各人の合計	夏目花子
課税価格の計算	取得財産の価額(第11表③)	①	498392151	256646350
	相続時精算課税適用財産の価額(第11の2表1⑦)	②	24626035	
	債務及び葬式費用の金額(第13表3⑦)	③	27415940	3359600
	純資産価額(①+②−③)(赤字のときは0)	④	495602246	253286750
	純資産価額に加算される暦年課税分の贈与財産価額(第14表1④)	⑤	3000000	1000000
	課税価格(④+⑤)(1,000円未満切捨て)	⑥	498600000 Ⓐ	254286000
各人の算出税額の計算	法定相続人の数 3人　遺産に係る基礎控除額		48000000 Ⓑ	左の欄には、第2表の②欄の回の人数及び◯ハの金額を記入します。
	相続税の総額	⑦	130505000	左の欄には、第2表の⑧欄の金額を記入します。
	一般の場合(⑩の場合を除く) あん分割合(各人の⑥/Ⓐ)	⑧	1.00	0.51
	算出税額(⑦×各人の⑧)	⑨	130505000	66557550
	農地等納税猶予の適用を受ける場合 算出税額(第3表⑪)	⑩		
	相続税額の2割加算が行われる場合の加算金額(第4表⑦)	⑪		
各人の納付・還付税額の計算 税額控除	暦年課税分の贈与税額控除額(第4表の2㉕)	⑫	90000	
	配偶者の税額軽減額(第5表◯イ又は◯ハ)	⑬	65252500	65252500
	⑫・⑬以外の税額控除額(第8の8表1⑤)	⑭	425000	217204
	計	⑮	65767500	65469704
	差引税額(⑨+⑪−⑮)又は(⑩+⑪−⑮)(赤字のときは0)	⑯	64737500	1087846
	相続時精算課税分の贈与税額控除額(第11の2表1⑧)	⑰	00	00
	医療法人持分税額控除額(第8の4表2B)	⑱		
	小計(⑯−⑰−⑱)(黒字のときは100円未満切捨て)	⑲	64737500	1087846
	納税猶予税額(第8の8表2⑧)	⑳	00	00
	申告納税額(⑲−⑳) 申告期限までに納付すべき税額	㉑	64737500	1087800
	還付される税額	㉒	△	△
この申告書が修正申告書である場合 この修正前の	小計	㉓		
	納税猶予税額	㉔	00	00
	申告納税額(還付の場合は、頭に△を記載)	㉕		
	小計の増加額(⑲−㉓)	㉖		
	この申告により納付すべき税額又は還付される税額(還付の場合は、頭に△を記載)((㉑又は㉒)−㉕)	㉗		

※税務署整理欄　申告区分　年分　グループ番号　補完番号　名簿番号　申告年月日　関与区分　書面添付　検算　管理補完　確認

作成税理士の事務所所在地・署名・電話番号　　税理士法書面提出 30条 33条の2

この申告が修正申告である場合の異動の内容等

※の項目は記入する必要がありません。

第1表(令和5年1月分以降用)

(資4−20−1−1−A4統一)第1表(令5.7)

相続開始日における職業・役職を記入する

基礎控除額を記入する

法定相続人の数を記入する

按分割合を記入する

第2表(→P.186)の⑧欄「相続税の総額」をここに転記する

配偶者の税額軽減額を記入する

この金額が花子さんの納税額

第2表　相続税の総額の計算書

第1表の「相続税の総額」の計算のために使用するもの。各相続人が法定相続分を相続したものと仮定して相続税を計算し、合計する。

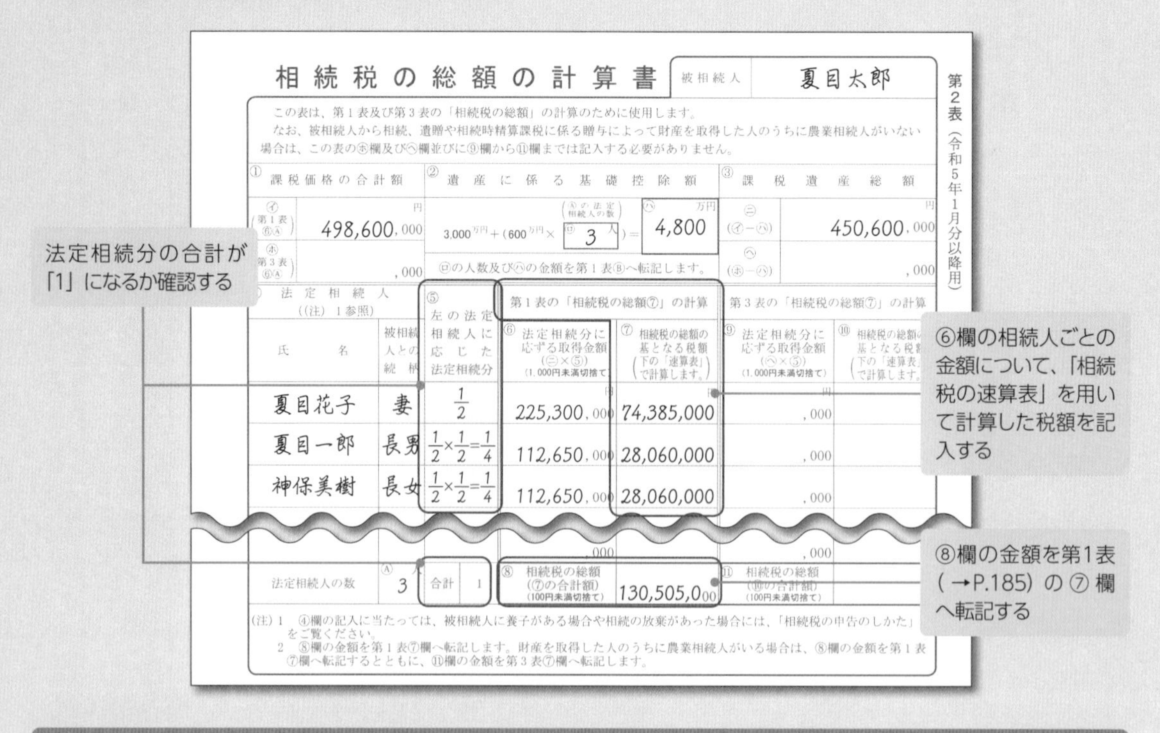

相続税の総額の計算書　被相続人　夏目太郎

第2表（令和5年1月分以降用）

この表は、第1表及び第3表の「相続税の総額」の計算のために使用します。
なお、被相続人から相続、遺贈や相続時精算課税に係る贈与によって財産を取得した人のうちに農業相続人がいない場合は、この表の㋭欄及び㋬欄並びに⑨欄から⑪欄までは記入する必要がありません。

① 課税価格の合計額	② 遺産に係る基礎控除額	③ 課税遺産総額
㋑（第1表⑥Ⓐ）498,600,000円	3,000万円＋（600万円×Ⓐの法定相続人の数 3人）＝㋩ 4,800万円	㊁（㋑－㋩）450,600,000円
㋺（第3表⑥Ⓐ）,000	Ⓐの人数及び㋩の金額を第1表Ⓑへ転記します。	㋬（㋺－㋩）,000

④ 法定相続人（（注）1参照）氏名	被相続人との続柄	⑤ 左の法定相続人に応じた法定相続分	⑥ 法定相続分に応ずる取得金額（㊁×⑤）（1,000円未満切捨て）	⑦ 相続税の総額の基となる税額（下の「速算表」で計算します。）	⑨ 法定相続分に応ずる取得金額（㋬×⑤）（1,000円未満切捨て）	⑩ 相続税の総額の基となる税額（下の「速算表」で計算します。）
夏目花子	妻	1/2	225,300,000	74,385,000	,000	
夏目一郎	長男	1/2×1/2＝1/4	112,650,000	28,060,000	,000	
神保美樹	長女	1/2×1/2＝1/4	112,650,000	28,060,000	,000	
			,000		,000	
法定相続人の数	Ⓐ 3人	合計 1	⑧ 相続税の総額（⑦の合計額）（100円未満切捨て）	130,505,000	⑪ 相続税の総額（⑩の合計額）（100円未満切捨て）	

（注）1　④欄の記入に当たっては、被相続人に養子がある場合や相続の放棄があった場合には、「相続税の申告のしかた」をご覧ください。
2　⑧欄の金額を第1表⑦欄へ転記します。財産を取得した人のうちに農業相続人がいる場合は、⑧欄の金額を第1表⑦欄へ転記するとともに、⑪欄の金額を第3表⑦欄へ転記します。

第4表の2　暦年課税分の贈与税額控除額の計算書

第14表の「1純資産価額に加算される暦年課税分の贈与財産価額及び特定贈与財産価額の明細」欄に記入した財産のうち、相続税の課税価格に加算されるものについて、贈与税が課税されている場合に記入する。

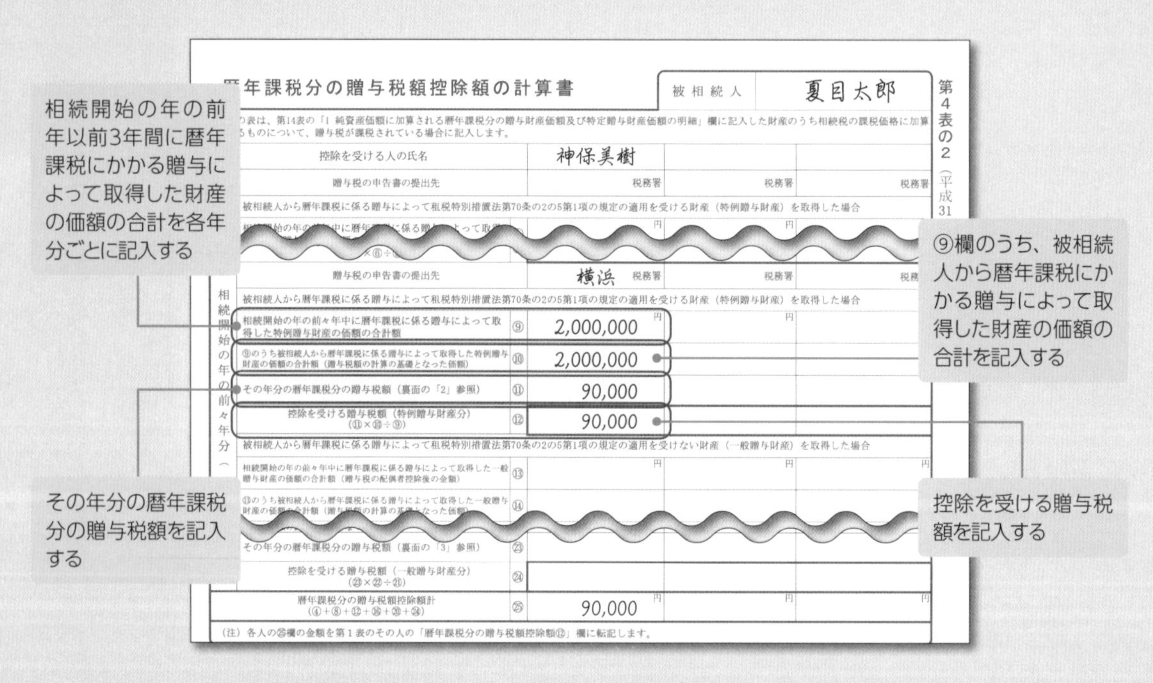

暦年課税分の贈与税額控除額の計算書　被相続人　夏目太郎

第4表の2（平成31…）

この表は、第14表の「1 純資産価額に加算される暦年課税分の贈与財産価額及び特定贈与財産価額の明細」欄に記入した財産のうち相続税の課税価格に加算されるものについて、贈与税が課税されている場合に記入します。

控除を受ける人の氏名	神保美樹		
贈与税の申告書の提出先	税務署	税務署	税務署

被相続人から暦年課税に係る贈与によって租税特別措置法第70条の2の5第1項の規定の適用を受ける財産（特例贈与財産）を取得した場合

相続開始の年の前々年分

贈与税の申告書の提出先		横浜 税務署	税務署	税務署
相続開始の年の前々年中に暦年課税に係る贈与によって取得した特例贈与財産の価額の合計額	⑨	2,000,000円	円	
⑨のうち被相続人から暦年課税に係る贈与によって取得した特例贈与財産の価額の合計額（贈与税額の計算の基礎となった価額）	⑩	2,000,000		
その年分の暦年課税分の贈与税額（裏面の「2」参照）	⑪	90,000		
控除を受ける贈与税額（特例贈与財産分）（⑪×⑩÷⑨）	⑫	90,000		

被相続人から暦年課税に係る贈与によって租税特別措置法第70条の2の5第1項の規定の適用を受けない財産（一般贈与財産）を取得した場合

相続開始の年の前々年中に暦年課税に係る贈与によって取得した一般贈与財産の価額の合計額（贈与税の配偶者控除後の金額）	⑬	円	円	
⑬のうち被相続人から暦年課税に係る贈与によって取得した一般贈与財産の価額の合計額（贈与税額の計算の基礎となった価額）	⑭			
その年分の暦年課税分の贈与税額（裏面の「3」参照）	㉓			
控除を受ける贈与税額（一般贈与財産分）（㉓×㉒÷㉑）	㉔			
暦年課税分の贈与税額控除額計（④＋⑧＋⑫＋⑯＋⑳＋㉔）	㉕	90,000円	円	円

（注）各人の㉕欄の金額を第1表のその人の「暦年課税分の贈与税額控除額⑫」欄に転記します。

第11表　相続税がかかる財産の明細書

相続や遺贈によって取得した財産やみなし相続財産のうち、相続税のかかるものについて明細を記入する。

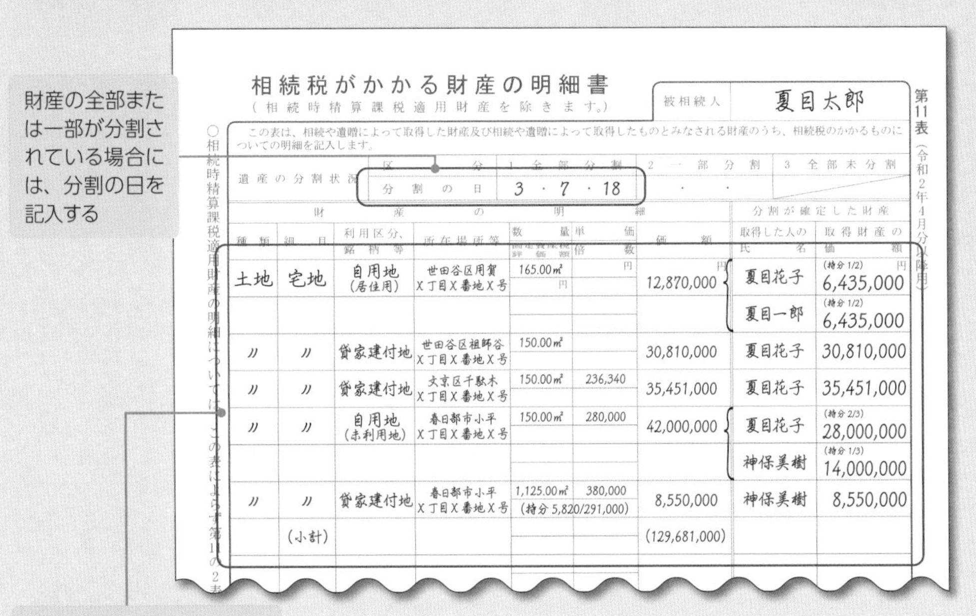

相続税がかかる財産の明細書
（相続時精算課税適用財産を除きます。）

被相続人　夏目太郎

第11表（令和2年4月分以降用）

この表は、相続や遺贈によって取得した財産及び相続や遺贈によって取得したものとみなされる財産のうち、相続税のかかるものについての明細を記入します。

遺産の分割状況	区分	1 全部分割	2 一部分割	3 全部未分割
	分割の日	3・7・18	・　・	

種類	細目	利用区分、銘柄等	所在場所等	数量／固定資産税評価額	単価／倍数	価額	取得した人の氏名	取得財産の価額
土地	宅地	自用地（居住用）	世田谷区用賀X丁目X番地X号	165.00㎡		12,870,000	夏目花子	（持分1/2）6,435,000
							夏目一郎	（持分1/2）6,435,000
〃	〃	貸家建付地	世田谷区祖師谷X丁目X番地X号	150.00㎡		30,810,000	夏目花子	30,810,000
〃	〃	貸家建付地	文京区千駄木X丁目X番地X号	150.00㎡	236,340	35,451,000	夏目花子	35,451,000
〃	〃	自用地（未利用地）	春日部市小平X丁目X番地X号	150.00㎡	280,000	42,000,000	夏目花子	（持分2/3）28,000,000
							神保美樹	（持分1/3）14,000,000
〃	〃	貸家建付地	春日部市小平X丁目X番地X号	1,125.00㎡（持分5,820/291,000）	380,000	8,550,000	神保美樹	8,550,000
	（小計）					（129,681,000）		

第15表　相続財産の種類別価額表

第11表から第14表までの記載に基づいて、相続人ごとに相続財産の価額を種類別に記入する。

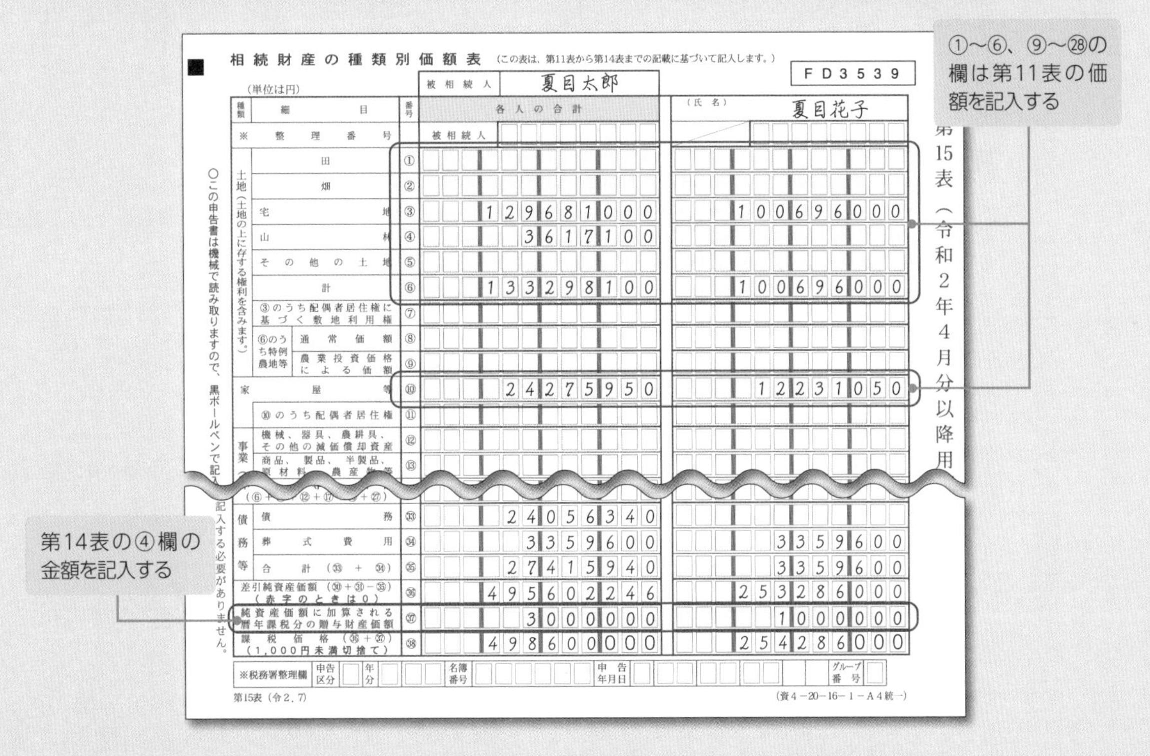

相続財産の種類別価額表（この表は、第11表から第14表までの記載に基づいて記入します。）　FD3539

（単位は円）　被相続人　夏目太郎

第15表（令和2年4月分以降用）

種類	細目	番号	各人の合計	（氏名）夏目花子
※	整理番号		被相続人	
土地（土地の上に存する権利を含みます。）	田	①		
	畑	②		
	宅地	③	129681000	100696000
	山林	④	3617100	
	その他の土地	⑤		
	計	⑥	133298100	100696000
	③のうち配偶者居住権に基づく敷地利用権	⑦		
	⑥のうち特例農地等　通常価額	⑧		
	⑥のうち特例農地等　農業投資価格による価額	⑨		
家屋等		⑩	24275950	12231050
	⑩のうち配偶者居住権	⑪		
事業	機械、器具、農耕具、その他の減価償却資産	⑫		
	商品、製品、半製品、原材料、農産物等	⑬		
	（⑥+…+⑫+⑰…+㉗）			
債務等	債務	㉝	24056340	
	葬式費用	㉞	3359600	3359600
	合計（㉝+㉞）	㉟	27415940	3359600
差引純資産価額（㉚+㉛−㉟）（赤字のときは0）		㊱	495602246	253286000
純資産価額に加算される暦年課税分の贈与財産価額		㊲	3000000	1000000
課税価格（㊱+㊲）（1,000円未満切捨て）		㊳	498600000	254286000

○この申告書は機械で読み取りますので、黒ボールペンで記入してください。
（…）記入する必要がありません。

※税務署整理欄	申告区分		年分		名簿番号		申告年月日		グループ番号	

第15表（令2.7）　（資4−20−16−1−A4統一）

さくいん

ア行

按分割合（あんぶんわりあい）……134
遺産……64
遺産分割……102
遺産分割協議……102
遺産分割協議書……116
遺贈（いぞう）……164
一次相続……154・162
遺留分（いりゅうぶん）……50
遺留分侵害額の請求（いりゅうぶんしんがいがくのせいきゅう）……50
延滞税（えんたいぜい）……146
延納（えんのう）……144

カ行

家屋……90
確定申告……120
貸宅地（かしたくち）……88
貸付信託（かしつけしんたく）……83
貸家（かしや）……90
貸家建付地（かしやたてつけち）……88・159
過少申告加算税（かしょうしんこくかさんぜい）……146
課税遺産総額……130
課税価格……130
家督相続（かとくそうぞく）……54
株式……80
換価分割（かんかぶんかつ）……108
基礎控除（きそこうじょ）……128
寄附……164
教育資金の一括贈与に係る（かかる）贈与税の非課税制度……182
共有分割……108
寄与分（きよぶん）……106
銀行口座……72
金融資産……80
クレジットカード……72
結婚・子育て資金の一括贈与の贈与税の非課税制度……182
限定承認（げんていしょうにん）……66

検認……46・48
現物分割……108
更正……146
公正証書遺言……48・52
功労金……68
個人事業主……110
戸籍……38
固定資産税評価額……84・90
ゴルフ会員権……92

サ行

財産評価基本通達……78
財産目録……70
祭祀財産……64
自社株……110
指定相続分……40
自筆証書遺言……46・48・52
死亡退職金……68
借地権……88
借地借家法……88
借家権割合……90
住宅取得等資金の贈与の非課税制度……180
取得金額……132
準確定申告……120
小規模宅地等の評価減の特例……156
証券投資信託……83
所得控除……120
所得税……121
申告期限……144
申告書……142
申告漏れ……146
審判……102
既経過利息……80
生前贈与……154
精通者意見価格……92
成年後見人……104
生命保険……160

生命保険金……68・160
節税……154
相続開始日……67
相続関係説明図……39
相続財産……64
相続時精算課税制度……176
相続税……128・132
相続税額……134
相続登記……118
相続人……36
相続放棄……66
贈与……172
贈与税……172

タ行

代襲相続……36
代償分割……108・160
宅地……84
単純承認……66
嫡出子……38
超過累進税率……132
調停……102
直系尊属……36
直系卑属……36
賃貸経営……158
定期預金……80
添付書類……142
登録免許税……178
特別受益……106
特別代理人……104

ナ行

二次相続……154・162

ハ行

配偶者控除（はいぐうしゃこうじょ） 178
売買実例価額 92
倍率方式（ばいりつ） 84
非嫡出子（ひちゃくしゅつし） 38
秘密証書遺言（ひみつしょうしょゆいごん） 48・52
評価倍率表（ひょうかばいりつひょう） 84
付言事項（ふげんじこう） 48
付属設備 90
普通預金 80
物納（ぶつのう） 144
不動産取得税 178
法定相続人（ほうていそうぞくにん） 36
法定相続分（ほうていそうぞくぶん） 40
補正率 86

マ行

みなし相続財産 68
名義変更 118
名義預金 174
持戻し（もちもど） 106

ヤ行

遺言書（ゆいごんしょ） 46
養子縁組 38

ラ行

利益相反（りえきそうはん） 104
利子税 144
暦年課税制度（れきねんかぜいせいど） 173
連帯納付義務（れんたいのうふぎむ） 128
路線価方式（ろせんか） 84

●監修者

藤井和哉（ふじい・かずや）

税理士法人藤井会計事務所代表。群馬県前橋市生まれ。埼玉県熊谷市三ヶ尻中学校卒業、埼玉県熊谷市熊谷高校卒業、慶應義塾大学経済学部卒業。病院、歯科医院などの医療機関、中小企業経営者の相続問題や事業承継を中心に数多くを手掛けている。分析、改善、実行、そして実行の援助を基本に業務を展開。経営者のよき相談相手として、直接的に役に立つストレートなアドバイスを心がけている。

● Webサイト　税理士法人藤井会計事務所　https://fujiikaikei.jp

小高直紀（おだか・なおき）

税理士法人藤井会計事務所副代表。資産相続コンサルマネージャー兼医療部門マネージャー。埼玉県川越市生まれ。埼玉県川越市野田中学校卒業、埼玉県川越市城西大学附属高等学校卒業、駒澤大学経営学部卒業、同大学大学院商学研究科卒業。医科歯科薬局など医療機関を中心に、相続、会計・税務はもちろんのこと、各方面のプロフェッショナルと連携し、労務や人事、行政手続きなど幅広い観点から経営者の悩みを1番身近な窓口として迅速、かつわかりやすく対応することを心がけている。相続設計では、温和な性格と提携先の弁護士により、争続を分割可能な円満相続に、資産の組み替えなどにより、納税困難な案件を納税可能に指導。相続節税では地味なものから大胆なものまで幅広く提案し、数多くのクライアントから称賛を得ている。

マンガ
作画●河村万理
作画アシスタント●狐塚あやめ、かんようこ
マンガ編集協力●株式会社サイドランチ

スタッフ
執筆協力●千葉 淳子
本文デザイン●田中 小百合（osuzudesign）
イラスト●うかいえいこ
編集協力●パケット
編集担当●遠藤 やよい（ナツメ出版企画）

本書に関するお問い合わせは、書名・発行日・該当ページを明記の上、下記のいずれかの方法にてお送りください。電話でのお問い合わせはお受けしておりません。
・ナツメ社webサイトの問い合わせフォーム
　https://www.natsume.co.jp/contact
・FAX（03-3291-1305）
・郵送（下記、ナツメ出版企画株式会社宛て）
なお、回答までに日にちをいただく場合があります。正誤のお問い合わせ以外の書籍内容に関する解説・個別の相談は行っておりません。あらかじめご了承ください。

図解 いちばん親切な相続税の本 24-25年版

2024年8月1日　初版発行

監修者　藤井和哉　Fujii Kazuya,2024
　　　　小高直紀　Odaka Naoki,2024

発行者　田村正隆

発行所　株式会社ナツメ社
東京都千代田区神田神保町1-52 ナツメ社ビル1F（〒101-0051）
電話　03（3291）1257（代表）　FAX　03（3291）5761
振替　00130-1-58661

制　作　ナツメ出版企画株式会社
東京都千代田区神田神保町1-52 ナツメ社ビル3F（〒101-0051）
電話　03（3295）3921（代表）

印刷所　広研印刷株式会社

ISBN978-4-8163-7594-1　Printed in Japan
〈定価はカバーに表示しています〉〈落丁・乱丁本はお取り替えします〉